离婚未遂

丁力◎著

爱是不能够持久保存的。
这是爱最大的缺陷。
无论你是否敢于承认，
你都不可能一生只爱着一个人，
而你，
也不能保证自己以后不对另外的异性产生爱慕之情，
并像圣人那样活着，
像精密仪器那样运转着。

 南京大学出版社

图书在版编目(CIP)数据

离婚未遂 / 丁力著. —南京:南京大学出版社,2009.2
ISBN 978-7-305-05751-9

Ⅰ. 离… Ⅱ. 丁… Ⅲ. 婚姻—通俗读物 Ⅳ. C913.13-49

中国版本图书馆 CIP 数据核字(2009)第 014608 号

出 版 者　南京大学出版社
社　　址　南京市汉口路 22 号　　邮　编　210093
网　　址　http:// press.nju.edu.cn
出 版 人　左　健

书　　名　**离婚未遂**
著　　者　丁　力
策划编辑　叶　青(yeqing505@263.net)
责任编辑　王燊娉(wangshenping2006@sina.com)张秀梅　　　　编辑热热　025-83595844

照　　排　南京新华丰制版有限公司
印　　刷　南京大众新科技印刷有限公司
开　　本　787×1092　1/16　　印张　14.75　　字数　177 千
版　　次　2009 年 2 月第1版　2009 年 2 月第1次印刷
ISBN 978-7-305-05751-9
定　　价　29.00 元

发行热线　025-83594756
电子邮箱　sales@press.nju.edu.cn(销售部)
　　　　　nupressl@publicl.ptt.js.cn

离 婚 未 遂

世界上只有两种人——男人和女人。在爱情和婚姻的问题上，男人和男人之间容易达成默契，他们往往共同对女人说假话。不管男人之间的关系亲疏程度如何，在"对付"女人的问题上，他们的态度基本上高度一致，保持"团结"。所以，绝大多数女人并不真正了解男人。一个有趣的现象是：一个男人有了外遇，周围的人都知道，唯独他老婆不知道。

《离婚未遂》是一部由男人写给女人看的书，女人可以从中了解男人对爱情、对婚姻、对性的真实态度以及他们的心理活动。

人总是要结婚的。一辈子没有结婚的人不是生理上有缺陷就是心理上有阴影。如果两方面都正常的人，但一辈子没有结婚，那么在走完人生最后一程时，内心一定充满遗憾。

女人选择独身的真正原因是没有找到自己真正喜欢并值得托付终生的男人，或者找到了却没有珍惜。《离婚未遂》不能保证你找到这样的男人，却可以帮助你在找到时能牢牢抓住机会。

人的一生其实是自我选择的一生。对活着有信念的人来说尤其

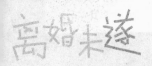

如此。而婚姻是人一生中最重要的选择。其重要性远超过入学专业的选择和毕业后工作的选择。可是,绝大多数人在作出这一最重要选择时更多的并不是依靠理性,而是凭借感性。这就难怪世界上有那么多的不和谐婚姻和结婚之后的无尽悔恨了。

《离婚未遂》主张爱情跟着感觉走,婚姻依靠理性定。爱情和婚姻不能划等号。没有爱情的婚姻不道德,只有爱情的婚姻不牢靠。

婚姻的本质是一场交易。好比一男一女组成合资公司,双方合作的基础是综合实力对等。郎才女貌的本质是男方的才能平衡女方的美貌,女方的美貌能配得上男方的才能。"女才郎貌"亦如此。只有综合实力对等,才能实现"强强联合"。传统戏曲中富家小姐执意嫁给穷秀才的情况表面上是例外,实质上是富家小姐看好穷秀才的未来,相信他终有金榜题名的一天,相当于小姐买了潜力股,否则不会有好结果。

婚姻是一项事业,而且是一生中最重要的事业。所以,婚姻是需要经营的。选择不当或经营不善都可能导致婚姻失败。在社会转型期,由于"基本面"发生变化,婚姻破裂的发生概率比平常大,客观上对家庭和社会的稳定造成负面影响。作者主观上希望所有的家庭矛盾在内部化解,不一定非要走离婚这条路,所以,在离婚的后面特意加了"未遂"。小说通过男主人公对离婚问题的心理描写,善意地提醒都市男女:珍惜亲情、珍惜拥有的爱情和缘分。结婚需要理性,离婚更需要理性。而当我们理性面对离婚时,就可以发现许多离婚其实是可以"未遂"的。

丁　力

2008年12月8日于深圳

目 录

离婚未遂

第一章　离婚能上瘾吗

　　离婚是能让人上瘾的。好比老虎，从来没有吃过人的老虎，除非饿得发疯了，否则是不会轻易吃人的。可一旦吃过人，尝到了甜头，以后只要逮着机会就吃人，这就叫上瘾。离婚也一样，从来没有离过婚的人，除非两口子实在过不下去了，否则，即使遇上一些矛盾，甚至是非常激烈的矛盾，也不会马上想到离婚的；可对于已经离过婚的人，生活中一旦遇到磕磕碰碰，即使嘴巴上不说，心里也肯定想到了"离婚"二字。然而，生活中的磕磕碰碰是经常有的，特别是对于半路夫妻来说，磕磕碰碰更如家常便饭，几乎天天发生，因此，他们必定会经常想到"离婚"。这不，天涯常客现在就面临这种状况了。

　　天涯常客是文人，过去是文人，现在仍然是文人，但中间却有那么一段下海经历，做过外资企业经理、老板助理，还自己当过老板。于是，身上多少就沾了一些中西合璧的生意人的气息。

　　当初天涯常客弃文经商的时候，第一任老婆是支持的，支持的直接

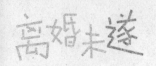

原因是当时文人太穷,穷到夫妻两人的收入无论如何都无法支撑一个体面家庭的正常生活。但他们二人是受过高等教育的,又是城市干部家庭出身,显然不能接受不体面的生活。于是,下海经商似乎成为他们当初唯一的选择。

天涯常客在正式下海到外资企业当白领之前,做了很多准备。其中之一是理论先行,所学专业是科技情报的天涯常客特意看了不少与现代企业管理有关的书籍,而且得益匪浅。虽然还没有下海,但已经能够讲出许多管理理论和经营谋略,甚至比一些真正的企业管理者和企业老板讲得还要生动具体。于是,每当若干文人逮着一个花公家钱的机会在一起喝酒聊天的时候,都喜欢听天涯常客的高谈阔论。最后,大家一致认为,天涯常客天生是一块当经理或当老板的料,要是不下海到外资企业谋个高级白领,窝在半死不活的事业单位一辈子,那真是屈才了。或者说者无心,但听者有意,起码听多了会有意,而且夫妻俩是一个单位的,并且都是文人,久而久之,下海到外资企业谋个高薪职位就成了夫妻俩的共识。

文人下海也与一般人不一样,主要表现是考虑问题周到,留有余地。比如关于人事关系,天涯常客并没有按照一般人的做法放到人才交流中心,而是从市里找了一个关系,假借用,就是表面上由一个单位来"借用"天涯常客,其实对方并不给他开工资。当然,他也并不真的去对方单位上班,但公职肯定是保留了,相当于停薪留职。还比如在夫妻俩的分工协作上也留有余地,具体做法是丈夫下海,到外资企业上班,享受高收入;老婆留守,继续留在国家事业单位,以确保万无一失。但过于精明的算计也会导致过于精明的失误,而且往往因小失大。最后,丈夫虽然经历了外资企业的磨砺和提升,并且也自己成功创业当了几年老板,但最终并未成为真正的大老板,而老婆在与丈夫分居长达6年之后,也不得不接受离婚的现实。

天涯常客与老婆离婚的直接原因是他认识了第二任妻子,也就是现在的妻子。第二任妻子比第一任妻子漂亮,而且活泼,关键是她一步不离开天涯常客,以至于喜欢作结论的天涯常客又得出了一个结论:分居是造成夫妻感情破裂的最大原因。

天涯常客的论断似乎有某种预见功能,因为他现在与第二任妻子又分居了。

不知是实践产生理论的缘故,还是理论指导实践的缘故,第二任妻子一提出回武汉,天涯常客马上就意识到他们要分手。后来的发展证明,他的预计没有错。

第二任妻子叫阿力宝。这当然是呢称,但这个呢称非常准确。阿力宝很活泼,聪明,却有些傻气。于是天涯常客就又得出新结论,聪明到极致就变成傻气,而傻气到极致就是一种聪明。他的第二任妻子阿力宝就是这种聪明却又带明显傻气的女人。

阿力宝要回武汉的目的当然不是为了和天涯常客离婚。事实上,她回武汉的理由非常多,概括起来至少有三点。

第一,为了钱。因为这个聪明但又带有傻气的女人原来在武汉就是一个国营单位的老总,当时天涯常客是武汉一家外资企业的区域经理,两个人得以认识,后来天涯常客掌握了客户资源,认为时机成熟,决定来深圳创业。阿力宝为了爱情,不惜放弃国营单位的老总不干,跟着天涯常客来到深圳。那时候,天涯常客的公司虽然刚刚起步,但写字楼的装修、公司管理的模式完全按照外资企业标准,所以,天涯常客本人也完全是一副跨国公司老板的形象和派头。但是,现在不行了!现在天涯常客的事业遭遇滑铁卢,并且由于扩张过快导致资金链断裂,而银行又是那么嫌贫爱富,他不得不又回过头来做文人。独立办公室没有了,秘书没有了,宝马车和长城大厦三房两厅的房子也没有了。这样,迫使阿力宝不得不

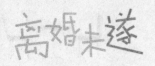

穷则思变,重新创业。具体地说就是重新回武汉创业,因为她的根基在武汉,而且他们的资金也支撑不起在深圳创业的费用,回武汉则相对宽裕些,创业成功的把握性大许多。

第二,为了情。但不是为了爱情,而是为了亲情。阿力宝娘家姓丁,是个普通人家,这个普通人家就她最有出息。当初阿力宝在武汉做国营单位老总时,将她哥哥安排在一个工厂当厂长,通过关系介绍妹妹到一个私立学校当老师,于是,普通人家也都过上了小康生活。但自从阿力宝跟随天涯常客来深圳后,哥哥的厂长没得做了,妹妹的教师也当不成了。本来,还指望天涯常客事业发达帮衬他们丁家一把,现在眼看着是指望不上了。于是,革命的重担再次落到阿力宝肩上。只有阿力宝回武汉重新创业,才能拯救整个丁家,所以,阿力宝责任重大。

第三,为了感觉。阿力宝是个讲派头的人,用武汉话讲就是喜欢玩味的人,要的就是当老板的感觉,或者是做老板夫人的感觉。现在天涯常客重新当文人了,阿力宝的老板夫人肯定是做不成了,于是,只好自己做老板,找回曾经拥有过的那份感觉。

"你自己做不了老板了,难道还不让我做吗?"阿力宝问。

天涯常客的善辩能力曾经得到犹太老板的赏识,但这时候他却半天没有说话,而是在想,想着自己是不是该跟她一起回武汉。想到最后的结论是不去,坚决不能去。

天涯常客弃商从文的根本原因当然是被迫无奈,给外资企业当过区域经理的人,又有自己开公司创业当老板的经历,使他不会轻易再给本国的土老板打工的。重新回到外资企业又明显感觉自己年龄大了,竞争不过比自己小一拨的年轻的"海龟"们;而如果重新创业,既缺少资金也缺少当初的冲劲。最终,在尝试着给别人当了一段时间总经理失败之后,只好回头又当起了文人,无形当中把"文人"当成一块遮羞布,尚能使经

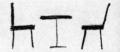

济上窘迫但又想维持尊严的人暂时保住了虚荣的面子。但是，除了被迫无奈之外，还有一个重要的原因，就是他对自己在文人道路上未来的发展充分自信。说来也奇怪，天涯常客这10年外企白领经历和自己创业当老板的经历对自己的文学创作起到了极大的提升作用。他感悟到写作确实是需要生活经历的，并且需要真实的经历，而不是作家为了写作去刻意"体验"的经历。重新当回文人后，天涯常客就以自己过去10年在外资企业当白领和自己创业当老板的实际经历为素材，创作了一系列小说。这些小说被人们称为"管理小说"，也被称为"财经小说"，甚至还被称为"老板文学"，其中最后一条尤其重要。因为如今中国的老板已经被捧为先进生产力的代表，不但经济上高人一等，而且政治上也毫不逊色，于是，自然成了众人追求的目标，不仅是女人的追求目标，还是男人的追求目标，甚至是某些政府官员和知识分子的追求目标，所以，写有关老板的书肯定比写有关打工仔的书更受追捧。但有关老板的小说不是说想写就能写的，没有真实的生活经历，闭门造车的作家很难把握老板的心态和他们的处世哲学，而天涯常客既给老板打过工也自己创业当过老板，并且在自己当老板的时候，平等地结交过许多当老板的朋友，所以，他写"老板文学"能写到位。因此，天涯常客的小说很受青睐，受读者的青睐，也受出版社的青睐。所以，竟然在很短的时间内完成了十多本与老板有关的长篇小说，其中包括中国的老板和外国的老板，因此初步确立了作为中国"老板文学"的倡导者和领军人物的地位，前景看好。这种情况下，他当然舍不得离开"老板文学"这片肥沃的土壤。在天涯常客看来，深圳就是培育"老板文学"的最佳土壤，他不能轻易离开。

"我当然不能阻止你当老板，"天涯常客说，"但是我有一种担心，担心一旦我们这样分开，离婚是早晚的事情。"

"不会的。"阿力宝说，"夫妻分居的多呢，谁说一分居就要离婚的？"

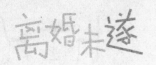

"那不一样!"天涯常客说。

"怎么不一样?"阿力宝问。

天涯常客嘴角向两边抽了一抽,想说,但忍住了。如果没有忍住,那么他肯定会说到他们是半路夫妻,说到他们没有共同的孩子,因此两人之间缺少纽带和粘合剂等。

"说呀,怎么不一样?"阿力宝继续问,近乎逼问。

天涯常客嘴角继续活动了一下,说:"别人夫妻分居那是没办法。"

"我们也是没办法呀。"阿力宝说。

天涯常客又没有话说了。说起来一年出了几本书,也确实能挣几万块钱,但如今出版社支付稿费的热情远远不如拖欠稿费的积极性高,而且扣起税来毫不含糊,所以,去年天涯常客真正到手的稿费差不多就五万块钱。五万块,在内地维持一个两口之家的生活或许还凑合,但是在深圳就凑合不起来了。对于过惯大款生活的阿力宝,更是无法忍受,而以前的存款,包括阿力宝的存款和天涯常客的剩余存款,用一点就少一点,给他们的感觉如同躲到草垛上的少女眼看着脚下的柴禾被狼群一根根叼走了一样,阿力宝心中发慌也实在是情有可原。

"可以,你先回去看看,看看再说。"天涯常客说。

第二章　阿力宝心存留恋但义无返顾

天涯常客同意阿力宝回武汉有两个原因：一是无可奈何，没办法；二是即便分手，他也不怕，身边比阿力宝优秀的女人多得是。理性一点看，和阿力宝分手说不定还是好事情，天涯常客说不定还能找一个更年轻、更漂亮、更有钱的女人，既然如此，干吗不顺水推舟？

天涯常客估计得没有错，阿力宝回武汉大概半个月之后，回来了。回来的目的不是打算重新回头跟天涯常客好好过日子，而是要钱，要在武汉投资做生意，或者说是创业当老板的钱。

天涯常客有钱，但不多，就十多万。天涯常客以前比现在有钱。但在外资企业当区域经理时候积攒的钱都用在创业投资上了，创业投资赚的钱又用于扩大再投资了，再投资之后，企业就慢慢走下坡路，赢利越来越小，最后出现亏损，直至破产。幸好他在外资企业做过管理，自己创业成立的公司规模虽然不大，却很正规，是按正规的手续注册的有限责任公司，公司破产了，个人并没有完全破产，还为自己留下了一套房子，一辆车子，另外就是这十多万元的存款。如果支持阿力宝在深圳创业的话，这点钱肯定不够。深圳做生意成本高，不仅场租和人工费用高，就是疏通各方面关系的费用也高，这点钱还不够用来打通各种关系的。但同样是这点钱，支持阿力宝回武汉做生意，或许还能顶用。

这两天阿力宝对天涯常客特别好，一改以往的暴躁脾气，变得温柔顺从，搞得天涯常客极度不适应，说："我说话算数，说给你钱就肯定给。"

阿力宝瞪着天涯常客，眼神里透着不踏实，仿佛在说：既然如此，干吗不现在就给？

天涯常客做事情有他自己的原则，他说给，那就肯定会给，但不是今天给，而是要一个星期之后才给。阿力宝昨天才回来，天涯常客明天就要去广州，一个礼拜之后才能回来。他不希望回来之后迎接他的是一个冰冷的屋子，他希望有人在等他，哪怕是一个已经决意要离他而去的女人在等他，也比一个冰冷的空荡荡的屋子好。

天涯常客去广州是参加职称考试的。这两年他一口气出了十多部长篇，虽然十多部长篇没有一部能算得上大作，但深圳本来就不是文学的森林，光秃秃的地面上突然冒出十多棵树，即便不是什么大树，而是大风一吹就能飘起来的小树，也足够引起人们的注意。于是，有关方面从广东要建立文化大省，深圳要文化立市的战略高度考虑，打算破格给天涯常客评定文学创作高级职称。要评职称就要考试，就要参加继续教育培训班，所以，天涯常客必须去广州。

一个星期后，天涯常客回到深圳，阿力宝显然已经等得不耐烦了。

"我是跟人家说好了的。"阿力宝说。说的口气显然经过克制。

"时间长了我怕他们反悔。"阿力宝又说。说这句的目的当然是对前面那句的补充，但也是为了缓和语气。

阿力宝说的是一个场子，一个可以做娱乐场所的场子。阿力宝不懂

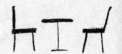

高科技,也没有外国客户资源,开不了工厂也搞不了出口贸易,但毕竟在武汉当过国营企业老总,因此有一定的人脉关系,所以打算开一个靠人气赚钱的场子。场子在武汉的武昌新区。新楼,位置不错,如果做成一个休闲中心估计生意不错。这些情况,阿力宝已经对天涯常客说过,反复说过,他知道。

天涯常客跟阿力宝去银行取钱,准确地说是去转账。因为阿力宝早有准备,已经事先在武汉开好了一个账户,工行对工行,很快的。

转账完毕,两人自然亲热一番。大约是预感到这可能是最后的下午餐,天涯常客做得很投入,主要表现是持续的时间很长,发力狠,节奏感强烈,以至于阿力宝颇感意外,发觉自己的丈夫仿佛是日本电影《故乡》当中的那条运石头填海的机帆船,平常不灵光,等到主人准备废弃它时,那天却灵光得不得了。

当日,阿力宝就要回武汉了,再不回去场子可能真的要被别人租走了。天涯常客开车送她去车站。照例,把车子停在远远的天桥下面的停车场,然后帮着她拖着行李,走过很长一段路,送她上96次特快列车。这样的场景天涯常客已经记不得经历过多少次了,每次都抱怨深圳火车站是没长屁眼的人设计的,上、中、下三层,看上去很壮观,却硬是没有停车场,送个人要走那么老远一大段,难道现代化就是为了好看而故意给老百姓制造不方便的吗?但今天天涯常客没作任何抱怨,尽管今天的路更难走,因为正在施工的地铁即将完工,照例要做最后的疯狂,对本来就不方便的旅客行走也造成更大的不方便。

天涯常客把阿力宝送进车厢,并帮她把行李安顿好,又等了一会儿。这时候,他突然感到自己非常饿,想着大概是没有心情,午餐并没有吃多少,而午餐之后,又那么一番使劲折腾,肚子抗议了。天涯常客眼睛直盯着小桌子上为阿力宝准备路上吃的食品,使劲咽了一口唾沫,嘴巴不受

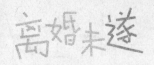

大脑指挥,自己就讲话了,说:"我饿了。"

"吃个面包。"阿力宝说。说着,已经动手将其中的一个面包取出,撕开塑料纸,递给天涯常客。

"你怎么办?"天涯常客问。

"这不还有嘛!"阿力宝说。

天涯常客接过来,没有急着吃,而是说:"晚上你要是不够,再买盒饭吃。"

阿力宝说:"你先吃吧,不要管我。"天涯常客才狼吞虎咽地把一个面包吃下去。其速度之快,显然超出了阿力宝的想象。阿力宝认定他没有吃饱,又动手拿第二个,被天涯常客制止住了。

"行了,只要吃一个就行了。我经不得饿,你知道的。但只要吃一点就行了。"

这时候,他必须下车了,因为其他送客的人已经下车了,而且列车里的广播又在使劲地催。

下车之后,天涯常客没有急着走,而是绕回到阿力宝的车窗口,看着她。火车开动时,天涯常客读懂了阿力宝的眼神,有留恋,但义无返顾。天涯常客努力不让自己的眼泪流出来。努力的方式是心里想着另外一个女人,一个各方面条件都比阿力宝好的女人。这么想着,天涯常客果然就止住了眼泪。不仅止住了眼泪,而且还流露出笑容,所以,当阿力宝随着列车远去的时候,视网膜上残留的是天涯常客微笑着立在站台上挥手告别的高大、潇洒、自信的形象。

第三章 "第三者"是治愈失恋的灵丹妙药吗

　　天涯常客这番表现并不是演戏,起码不全是演戏。事实上,当阿力宝乘坐的列车在天涯常客的视野中完全消失之后,他便放松了控制,不知不觉让眼泪涌了出来。擦干眼泪,天涯常客立即拨通了娃娃头的手机。这时候,他把娃娃头当作一副药,一副能迅速治愈自己心灵创伤的灵丹妙药。

　　关于娃娃头,这里就不多介绍了,天涯常客曾经在一部小说中专门描写过。小说中,女主人翁的名字叫金美娟,娃娃头就是她的原型。生活中的娃娃头确实是个亿万富妹,但是不姓金,姓王,王与娃音首相同,并且她长得圆头圆脑圆屁股,所以天涯常客就喊她娃娃头。当然,也只有天涯常客这么喊,其他人没有,或许是其他人根本没有想过这么喊,或许是想过了,但不敢喊。因为,毕竟娃娃头是个大老板,大老板相当于大领导,除了天涯常客之外,谁敢喊大领导"娃娃头"呢。

　　天涯常客的公司破产之后,他没有立刻想起来写小说,至少没有想起来靠写小说吃饭,而是先到娃娃头的公司里当了一段时间的总经理。

娃娃头曾经是天涯常客的供货商,或者反过来说,天涯常客曾经是娃娃头的客户,二人的关系不错。天涯常客破产的前因后果娃娃头最清楚。她认为性格决定命运,天涯常客的企业破产主要输在他本人的性格上。娃娃头觉得,像天涯常客这样有理论有实践但缺少胆量的人,或许并不适合自己创业当老板,更适合当职业经理人,而娃娃头的公司正需要实现正规化管理,所以,天涯常客破产后,娃娃头立刻就邀请他来自己公司当总经理。天涯常客在给娃娃头当总经理的过程中,对娃娃头产生了感觉。娃娃头高兴的时候喜欢把自己圆圆的脑袋当作拨浪鼓,来回地摇摆,使得脑袋后面的马尾巴一甩一甩,也惹得天涯常客的激情一起一伏,常常忍不住想上去替她捋一把。但天涯常客还是忍住了,并没有真的替娃娃头捋头发。天涯常客是有老婆的人,准确地说那时候阿力宝还没有提出要回武汉,还占据着天涯常客那不大的房子和那张很大的床,不用说,也占据着天涯常客的心。

　　天涯常客发现娃娃头的圆屁股是件非常偶然的事情。那天中午天涯常客要去娃娃头办公室取一份项目计划书,考虑到娃娃头每天有午休的习惯,天涯常客不想打扰她。于是,打算悄悄地潜入她的办公室,拿到那份计划书后,再悄悄地出来。天涯常客认为这样做绝对不会把娃娃头吵醒,因为娃娃头的办公室很大,这个很大的办公室的拐角有一个非常不起眼的小暗门,门里面别有洞天,是一个小套间。小套间里面有小客厅、小卫生间,还有小卧室。不用说,小卧室里面还有一张小床。这个床就是娃娃头中午睡觉的地方。由于卧室与办公室之间还隔着卫生间和小客厅,所以,在天涯常客看来,只要他不是用脚踹门,而是用手轻轻地扭动门锁把手,悄悄地进入董事长办公室取一份文件,再悄悄地退出来,是不会把娃娃头从睡梦中吵醒的。事实上,这样的经历已经不是第一次了,而是多次,从来都没有把娃娃头吵醒过。有时候,一个中午甚至出现两次这

样的经历,取出一份文件,看到一半,发现还要与另一份文件中的某个数据对照,于是,一不做二不休,再潜入一次取出一份文件,居然也没有把娃娃头吵醒。但是,那天中午却发生了意外。

那天中午,天涯常客悄悄地进入娃娃头的办公室,拿到项目计划书之后,再悄悄地从她办公室出来,但就在此时,却发现了娃娃头。天涯常客发现娃娃头趴在沙发上睡觉,而没有到里面那个小卧室睡觉。天涯常客当然感到非常意外,甚至担心他已经把娃娃头吵醒了。但是娃娃头并没有被吵醒,还在继续睡。可见,娃娃头肯定是辛苦了,连办公室里进来一个人都不知道。如果进来的不是天涯常客,而是一个其他人,比如是一头色狼,把她非礼了,那该怎么办?那一刻,天涯常客突然对娃娃头产生了怜惜,并且感觉到了自己的一种责任,一种要保护娃娃头和要帮一把娃娃头的责任。这么想着,天涯常客就禁不住认真注视了一会儿。当然,是居高临下从背后注视娃娃头,于是,就发现娃娃头的屁股竟然和她的脑袋一样,滚圆。

大约是为了掩饰个子不高的缘故,娃娃头从来不穿裙子,而只穿长裤,是那种裤料特别薄裤脚特别大裤腰特别小的长裤。这种长裤穿在身上显得挺拔,准确地说是显得腿长,即使本来不高的女人也并不显矮。但这种裤子也有一个副作用,就是穿着的人趴在沙发上睡觉的时候,屁股的形状就完整地显露出来了,连里面的三角裤都清晰地印出来,甚至能印出女人最隐蔽部位的凹凸形状来。

天涯常客是人,是男人,男人在绝对安静的场景下面对一个睡美人,很难做到视而不见,于是,天涯常客就禁不住多看了一会儿。谁知这一看不要紧,竟然养成了一个坏习惯,就是不管有事没事,天涯常客每天中午都要千方百计找一个理由单独进入董事长办公室,进去的理由当然是找文件或者是送文件,但理由只是借口,并不代表真实的目的,真实目的是想再看看那印着内裤轮廓和女性凹凸形状的圆滚滚的屁股。可惜，这样的情景再也没有出现过。每次天涯常客进去的时候，第一眼不是看娃娃头的大班台，更不是看大班台上的文件架，而是看沙发，但每次他看到的仅仅是一张沙发，一张空沙发，沙发上面并没有趴着睡觉的娃娃头，也没有娃娃头那圆滚滚的屁股。或许，娃娃头当时确实是在睡觉，但不是在办公室的沙发上睡觉，而是在小套间的小卧室睡觉。至于为什么有那一次娃娃头没有进小套间睡觉而是趴在办公室的沙发上睡觉，天涯常客不得而知，想了很久也没有想明白。直到离开那家公司之后，他才想，那一次是不是娃娃头故意引诱我呢？这么一想，自然后悔不迭。

天涯常客离开娃娃头公司的主要原因是娃娃头后来又招聘了一个副总，一个个子非常高、身材非常好、非常帅气的小伙子做副总。天涯常客对娃娃头的做法很有意见，但是又实在说不出口。私营企业的老板招聘一个副总难道还要向天涯常客请示汇报吗？但天涯常客确实不舒服，并且他还为这种不舒服找到了充分的理由。天涯常客对自己说，既然娃娃头聘请我做总经理了，那么，再招聘一个副总，从企业运作和管理程序上来说，是不是应该先跟我打一个招呼？因为从理论上来说，不管是什么性质的企业，只要是企业，副总都是总经理的助手，给总经理配助手，本应该是总经理自己的事情，怎么能由老板越俎代庖而事先连个招呼都不打呢？这么一想，天涯常客就认定自己不舒服的心态是一种正常心态，而不是小肚鸡肠。

尽管如此，天涯常客并没有立刻离开娃娃头的公司，但是后来离开了，是因为后来娃娃头很快和那个副总公开谈起了恋爱。公开的方式是娃娃头和副总一起上班一起下班，这就让天涯常客无法容忍了。无法容忍的原因不是因为天涯常客心胸狭窄、嫉妒，至少他自己不承认那是一种嫉妒，而只承认是他的性格，做事情认真的性格。前面交代过了，天涯

常客是文人，文人做事情认真，按照天涯常客做事认真的标准，老板和副总一起下班可以，甚至一起下班之后还可以在一起睡觉，但是一起上班不可以。因为老板上班是没有时间概念的，如果上午有事情，比如上午要去见某行长或某局长，老板可能一大早就来公司，然后赶在行长或局长上班之前到他办公室门口等着，但是，如果上午没有什么安排，那么老板到中午才来上班也是可以的，谁让她是老板呢？谁知道老板头一天晚上是不是因为公司的业务而应酬到很晚呢？事实上，娃娃头就经常上午十点之后才来公司上班。娃娃头这样做可以，但副总不可以，至少在天涯常客看来不可以。如果一个副总可以和老板一样经常上午十点钟才上班，或者说是想几点钟来上班就几点钟来上班，那么，让总经理怎么维持公司的正常管理？而如果不能维持公司的正常管理，他这个总经理该怎么当？所以，天涯常客辞职了。

天涯常客辞职的时候没有对娃娃头说这些话，而只是说他做企业做厌了，不想做了，想回头做文人，但不是以前那种在国家研究机关做研究学问的文人，而是自己在家当作家，"坐"在家里写一些随心所欲的文字。

天涯常客这样说也不完全是搪塞娃娃头，而是确有其事。事实上，在来娃娃头的公司之前，准确地说是在天涯常客破产之后和进入娃娃头的公司之前那段时间里，天涯常客突然病了，病得莫名其妙，病得排山倒海，不知道什么病，就是发烧，烧到站不住。于是，只好住院，谁知道一住进医院，马上就清醒了，有一种置于死地而后生的清醒，就像一颗高高悬着的心突然落到地上一样，或者说就像已经死了一回一样，把一切都看透了。没病了，就要求出院，但医院不同意。医院说，既然已经住进来了，怎么也要住一个礼拜。仿佛医院变成了土匪窝，既然进来了，不丢下一定数目的买路钱就不能让他轻易出去。好在天涯常客有医疗卡，继续住就继续住吧，于是，就住了一个礼拜。但天涯常客的病确实好了，所以，除了例行检查体温外，并无其他事情，于是，他逮着机会溜达着出去买了一本书，打发时光。这是一本由百花文艺出版社出版的《小说月报百花奖获奖作品集》，天涯常客既然是文人，至少曾经是文人，那么当然更喜欢看这样有一定品位的作品集。看着看着，就有了重大发现，居然在同一本作品集中，发现了武汉女作家池莉的两部作品！天涯常客是做总经理的，也算是当领导的。知道领导做事的原则，就是掌握平衡。按照平衡原则，一般不会让一个人占两个机会，所以，他很吃惊，认为池莉是个非常了不起的作家，非常了不起的女人。于是，看完这本作品集之后，天涯常客又跑到街上，专门买来池莉的作品集，继续看，看完之后，就马上得出结论，并且是两个新结论。第一，池莉的小说非常好看，好就好在她能摆正自己的位置，把自己当成生意人，把读者当成客户。不像其他作家，以为写作完全是作家自己的事情，只埋头写给自己看顶多是给其他作家或评论家等圈内人看的东西，所以，池莉的作品能让普通人看得懂，看得下去，并且好看；第二，如果是天涯常客自己写，这样的作品也能写出来，甚至能写得更好。毕竟，写小说是要有生活基础的，而天涯常客认为，他的生活比池莉更宽广一些。并且，他做了十年的生意，想也能想得出比池莉更懂得生意人与客户的关系，更能把读者当成上帝，更能摆正自己的位置。因此应该能写得更好一些，至少能更加迎合广大读者的胃口。这个发现不得了！出院之后，他把这个惊人的发现对阿力宝说了，阿力宝听了什么话也没有说，就是笑，一个劲地笑。

天涯常客经不住别人的笑，特别是经不住阿力宝的笑。当即找来电脑，拿电脑当打字机，开始写小说。

天涯常客不会打字。他做文人那会儿，写作都用方格稿纸，用方格稿纸写完之后投稿，杂志社决定发表之后，常常还把原稿寄回来，让他再用更大的方格稿纸重新誊一遍，还是没有用到打字。天涯常客下海之后，一

直做管理，而且是高层管理，甚至是自己当老板，也根本不用自己打字，所以，他就一直不会打字。但是，打字毕竟不是什么高级劳动，起码不比写作本身高级，天涯常客不用学也会打拼音。全拼，非常慢，打字速度远远跟不上思考速度，因为他根本就不用思考，情节都是自己蹦出来的，天涯常客所做的工作就是按照池莉小说的写实套路，把蹦到大脑中的情节打到电脑上就行了。至于蕴藏在小说中的深刻道理，他认为应该是生活本身的道理，而且生活本身蕴藏的道理比作家小说中蕴藏的道理更深刻。所以，用不着他去费劲考虑什么深刻的道理，只管写就行了。第一部中篇完成后，天涯常客向《香草》投稿。因为他知道池莉就是从《香草》出来的，也知道池莉的处女作是发表在《香草》上的，他现在就照着池莉的路子走。投稿之后，就接到娃娃头的邀请，到娃娃头的公司当了老总。不久，又接到《香草》编辑部一个编辑的电话，编辑姓杜，本身也有过一段下海经商的经历，所以对反映经济生活的小说有认同感，感到亲切，并且他们当时正好和金融文学研究会合作，在《香草》杂志上开辟了一个金融文学专栏。因此，天涯常客这部反映外资企业管理内幕的中篇小说一眼就被杜编辑相中，他马上打来电话，告诉他只要稍做修改就可以发表，并希望天涯常客继续支持《香草》。天涯常客接到这样的电话自然是兴奋得不得了，以前他虽然是文人，但从来没有写过小说，以为写小说是件很难的事情，没想到第一次投稿就中了，根本没有像某些成名的作家说得那样艰辛，而且杂志社编辑说话客气，不说是他们照顾了天涯常客，反而说是天涯常客支持了他们的杂志，这更让天涯常客感到新鲜和兴奋，情不自禁地把手机当成了麦克风，大声感谢了一番。

当时娃娃头也在场，所以这一切娃娃头都清楚，而且，娃娃头也跟着天涯常客一起高兴，因为娃娃头也是热爱文学的，至少她自己是这么说的。她这么说当然不算错，因为只要识字的人，基本上都有过阅读经历；

而只要有过阅读经历的人，基本上都有过崇拜文学甚至想自己当作家的梦，因此都可以说是文学爱好者。曾经有一位职位非常高的领导亲口对天涯常客说过，在他年轻的时候最想当作家，但作家没当成，所以才当这么个不尴不尬的狗屁领导了。天涯常客认为那么个大领导没理由讨好他一个这么小的小作家，所以他相信领导说的是真话。大领导尚且如此，大老板当然更有可能。考虑到娃娃头是大老板，肯定从小就有梦想，因为天涯常客曾经在一本书当中读到，所谓老板，就是敢于梦想并且最终能把梦想变成现实的人。娃娃头既然已经成大老板了，那么以前肯定有过梦想，什么梦想？娃娃头小的时候中国还没有老板，那时候她不可能梦想自己当老板，可以推断，十有八九也是梦想当作家。所以，说娃娃头也热爱文学显然是有充分的理论和实践根据的。因此，娃娃头有理由跟着天涯常客一起高兴。后来，天涯常客又陆续发表了一些小说，有些还被报纸和期刊转载，这些情况，作为天涯常客老板兼文学爱好者的娃娃头也都知道，所以，当天涯常客对娃娃头说他要专心文学创作而提出辞职的时候，娃娃头不仅相信，而且当即表示理解和支持。这一点是不容易的。凡是有特区白领经历的人都知道，在一般情况下，总经理辞职的时候基本上都会和董事长之间产生不愉快，但是天涯常客和娃娃头之间没有不愉快，正因为如此，他们才能保持住友谊，才能在天涯常客最需要安慰的时候，流着眼泪给娃娃头打电话。

第四章 深圳的女老板都深不可测么

　　天涯常客在这个时候给娃娃头打电话，当然不仅仅是因为友谊，而是因为爱情。事实上，文学泰斗托尔斯泰早就说过，男女之间根本就不存在完全不包含爱情的友谊。尽管在今天看来，泰斗的论断有点武断，但至少在天涯常客这里还是成立的。

　　天涯常客从娃娃头那里辞职后，果然就没有再上其他公司任职，而是专心致志地搞文学创作，并且收效显著。不仅在诸如《人民文学》和《中国作家》这样顶尖文学期刊上发表了小说，而且发表的小说还多次被《小说月报》和《中篇小说选刊》转载。后来，在不到三年的时间内竟然完成并出版了十多部长篇小说。大约是保持友谊的缘故，或者是文人喜欢与人共享喜悦的需要，天涯常客虽然早已从娃娃头的公司辞职，但一旦发表或出版新作，都不辞辛劳地亲自开车给娃娃头送去，而娃娃头也一样，见天涯常客辞职之后并没有去别的公司任职，或者说当初的辞职确实是弃商从文而并非跳槽，自然对他也刮目相看，更加尊敬。不但每次接受天涯常客新作时都表现出爱不释手热烈祝贺的样子,而且也真的把他当成了朋友,每当公司有什么重大决策,仍不忘记对天涯常客通报一声,甚至还咨询一番,仿佛天涯常客还是她公司的一员,并且是终生职员。最让天涯常客感动的是,娃娃头跟那个副总分手的时候,居然还事先听取了天涯常客的意见。尽管这种听取意见的方式和某些管理部门年终听取群众意见一样,纯粹是一种表面形式,但表面形式也好过没有,至少是提升了他们之间的关系。

天涯常客对这种表面形式的第一反应是感动,一种被对方高度信任带来的感动。然后就是激动,一种仿佛早就盼望着这一刻如今终于等到一样的激动。大约是太感动和太激动的缘故,天涯常客随口就说:"其实你早该跟他分手了。"

"哦,是吗? 为什么?"娃娃头问。

娃娃头这么一问,竟然把天涯常客问住了。是啊,为什么? 天涯常客怎么知道为什么。

"他根本就配不上你。"天涯常客说。虽然是瞎说,但在娃娃头听起来却十分顺耳。后来,许多日子之后,当天涯常客回忆当初这段对话的时候,竟然发觉这是他当时所能说的最得体最贴切的话。于是,爱做结论的天涯常客又得出结论:真理往往是脱口而出的。

事实上,当时天涯常客真是脱口而出,或者是随口瞎说。但是,娃娃头并不这么看。娃娃头认为天涯常客是以脱口而出的方式说出了考虑已久的话,于是,深深地叹了一口气,说了一大堆后悔不已的话,说到最后,竟然冒出一句:"如果他能像你该多好呀!"这句话相当于安装在俄罗斯前总统叶利钦心脏上的起搏器,一下子就激活了天涯常客的潜意识,使他发现,自己其实早就是喜欢娃娃头的。

后来,天涯常客经过冷静思考,认定自己确实早就喜欢娃娃头,只不

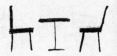

过那时候阿力宝还没有吵着要去武汉,或者用武汉话说,阿力宝还没有翻翘,天涯常客对于阿力宝之外的感情还有一种本能的抗拒,故意拒不承认罢了。

关于天涯常客与阿力宝之间的感情,天涯常客也用小说描写过。小说里面吴晓春和余曼丽的感情,基本上就是天涯常客和阿力宝的感情。但是,小说对这段感情的描写做了适当的艺术加工,加工成吴晓春最后并没有与余曼丽结婚,而是跟他的助理刘东娅结婚了。这样的加工当然是为了小说故事跌宕起伏的需要,但是从一个侧面也多少反映了作者本人的潜意识,对于这样的潜意识活动,一般的读者是看不出来的,但是也有读者能看出来,比如广东中山一个网名叫紫含的女读者就看出来了。这个署名紫含的女读者在澳一网站女性文学论坛上发表言论说,天涯常客骨子里其实还是不甘心跟余曼丽结婚的,所以为吴晓春——其实是天涯常客自己——安排了一个刘东娅出场。天涯常客看了这段评论很震惊,是那种隐藏在自己内心的秘密被人突然揭穿后的震惊,赶紧发悄悄话,与紫含联系,但发出去的悄悄话犹如打在沙滩上的巡航导弹,没什么效果。于是,天涯常客就认定,紫含要么是个才华出众但相貌平常的女人,不敢见人。要么是个真正的高手,与前辈钱钟书并驾齐驱的高手,因为她和钱老的观点一样,强调只要吃鸡蛋就行了,不必认识下蛋的鸡。无论是哪种情况,天涯常客都只好作罢。但是现在,小说中的人物在现实生活中还真出现了,不过,她不是刘东娅,而是娃娃头,并且出现的时机很特别,恰好是阿力宝开始翻翘的时候。

阿力宝翻翘是有理由的,并且理由充分。当初他们结合的时候,天涯常客是老板,无论是在外资企业当区域经理,还是自己创业当老板,看上去都像老板,并且是很有发展前景的老板。但是,现在不是了,现在天涯常客未经阿力宝许可,擅自改变了身份,从一个老板重新变回一个穷酸文人,货不对版了,阿力宝当然要翻翘。翻翘,但不能说是当老板或不当老板的缘故,因为阿力宝是要面子的人,如果说是因为老公不是老板了就翻翘,那不是显得自己太势利了吗?阿力宝并不势利,即便阿力宝势利,她不希望被人看成是势利,所以,阿力宝的翻翘必须找其他理由。但找出来的理由似乎都不及真实的理由更是理由,于是,为了能达到和真实理由相同的效果,就必须找许多伪理由。最后,居然连深圳的大马路上没有林阴道这一条也算上了,据说正因为如此,才导致阿力宝脸上长斑了。

阿力宝基本上具备了武汉女人的一般特征,当她爱一个人的时候,可以爱得死去活来,爱得奋不顾身,但是当她要翻翘的时候,也同样可以义无返顾,翻脸不认人。所以,那段时间阿力宝给天涯常客制造了很大的痛苦。天涯常客当初与前妻离婚而跟阿力宝结婚的时候,前妻丢下过一句话:"你今天怎么抛弃我的,将来那个女人就会怎么抛弃你。"当时阿力宝爱天涯常客爱得奋不顾身,给天涯常客的感觉是如果不娶这个女人,那么就是对爱的亵渎,所以,天涯常客决心已定,针锋相对地回答前妻:"即便如此,我也愿意。"话虽然这么说,但是,除非有特别的原因,否则一个人在结婚的时候,哪个愿意接受将来要离婚的结局?大约是受这句话的影响,所以,当初天涯常客跟阿力宝结婚的时候,对她提出了一个要求,也是唯一的要求,无论将来遇到什么情况,我们都不离婚。阿力宝当时正爱天涯常客爱得死去活来,自然是把头点得像鸡啄米,当场发誓赌咒,所以,当后来阿力宝翻翘的时候,天涯常客就想不通,就不能接受,非常痛苦。

按照对等的原则,既然娃娃头在跟那个副总分手的时候事先把情况都对天涯常客说了,那么天涯常客现在自然也把阿力宝翻翘的情况向娃娃头通报。

娃娃头听了之后，只说了一句话："你老婆是天底下最傻的女人。"

天涯常客听了，浑身温暖，感觉娃娃头才是天下最理解他的人，于是，激情之下，对娃娃头说了许多温情的话。其中最关键的是两句话：第一是首次使用了昵称，称呼她"娃娃头"，第二是向娃娃头表达了这样一个意思——我很喜欢你，早就暗恋你，如果阿力宝真要回武汉，我们俩有没有可能？不用说，天涯常客这个意思表达得比较艰难，但毕竟是结过两次婚的人，而且在申报文学创作高级职称和被北京娱乐信报报道成"著名作家"之后，自认为与余秋雨和贾平凹也相差不远了，觉得自己完全有资格娶娃娃头这样年轻漂亮的女老板做老婆。于是，尽管艰难，但他还是准确无误地表达清楚了自己的意思。

娃娃头虽然还没有结过婚，却是做老板的，在深圳，凡是做老板的女人都比较漂亮，凡是特别漂亮并且是做大老板的女人，她们的水有多深你根本无法测量。听完天涯常客的陈述，深不可测的娃娃头并没有立刻回答，而是沉默，沉默了相当长时间，让天涯常客确认她是认真对待之后，才说："你这样说，我只能认为你是在开玩笑，因为你现在还是有老婆的人。"

娃娃头说完之后，天涯常客一时语塞。是啊，别说自己现在还不是余秋雨或贾平凹，即便真是，也不能在自己还有老婆的时候向一个未婚的女青年求婚呀。

娃娃头见天涯常客说不出话来，担心自己的言语重了，于是，又赶紧抚慰一下，抚慰的方式是歪着脑袋，甩着马尾巴，天真地问天涯常客："'娃娃头'是什么意思？"

娃娃头这么一问，果然让天涯常客从难堪之中解脱出来了，解脱的标志是他笑了，并且笑着把那段典故说了出来。当然，说得比较保守，保守到就是一次无意当中发现了她的圆头圆脑圆屁股，像娃娃，而并没有说他曾经每天中午潜入她的办公室，尝试再次欣赏她圆屁股的怪异行为。

娃娃头听完之后，并没有什么表示，既没有表现出不高兴，也没有表现出高兴。或许，这就是娃娃头作为大老板的水平，甚至是她的一种做人习惯，无论在什么场合，无论对待什么人，凡是遇上这样的事情，都是这样的态度，都留有余地，为对方留余地，也为自己留有更加充分的余地，但是，天涯常客不知道，以他文人的思维方式认为，这就等于是他跟娃娃头把关系挑明了，挑明到只要天涯常客没有老婆了，娃娃头就可能嫁给他的程度。所以，当阿力宝再次翻翘吵着要回武汉的时候，天涯常客虽然心存留恋，虽然舍不得，虽然不情愿，但最终还是同意了。当阿力宝从武汉回来向他要钱的时候，虽然天涯常客并没有多少钱，虽然明知这个钱给出去之后就再也不可能要回来，但还是倾其所有全部给了她。天涯常客的这种行为，一方面与他豪爽的性格有关，觉得阿力宝跟他夫妻一场，尽自己所能给她一些钱去创业是应该的，即便是有去无回也认了；另一方面，可能想着自己虽然并不富有，但他的文学创作与出版已经步入良性循环，未来并不缺钱；当然，更为重要的，是在他的潜意识里，天涯常客已经把娃娃头想象成了自己下一任的老婆，而这个下一任老婆是大老板，大到在三亚有大酒店，在深圳有十几万平方米的住宅小区，在东莞有三百亩土地储备，有这样的大老板做老婆，还在乎这点小钱吗？所以，天涯常客这时候就表现得更加有侠胆义气。

基于这种思维，当阿力宝乘坐的96次特快离开深圳而天涯常客眼睛模糊的时候，他的第一个反应就是给娃娃头打电话。

天涯常客在这个时候给娃娃头打电话，除了把娃娃头当作治愈自己心灵创伤的灵丹妙药外，还有一个意思就是传递给娃娃头这样一个基本事实：阿力宝走了，我没有老婆了，起码身边没有老婆了。

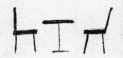

天涯常客是这么想了，但是娃娃头并没有这么想。娃娃头接到天涯常客的电话之后，先是愣了一下，然后口气十分热情地问："听说你去广州了？"

"是，"天涯常客说，"去广州搞职称评定。"

"那好啊，"娃娃头说，"恭喜你呀！我早说过，你就是聪明，做什么都能做好。肯定没有问题的，你一定能顺利地评上高级职称，比我好。"

天涯常客显然还不是大家，至少没有达到余秋雨或贾平凹那样的大家水平，所以听了娃娃头这番恭维话，还是很高兴，并且不知不觉地顺着她的话往下说。

"还不一定的，"天涯常客说，"要填表，各种各样的表，十几份，看着头就大，填好之后要交到市里，然后还要报到省里，最后的情况怎么样还很难说。"

"是吗？那你可要认真填写，填写完之后，给他们看看，看是不是还缺什么，或者漏写了什么。这种事情不是闹着玩的。"娃娃头关切地说。

"是啊是啊，好多年没有做这种事情了，有些证件好像都丢了，要找，找不到就要找证明材料，很麻烦的。"天涯常客继续跟着娃娃头的思路走。直到放下电话，他才发现，说什么呀？原来打算说的话一句也没有说，说的全是本来没有打算说的话。

第五章 难道女人都是本末倒置的

　　虽然是事先并没有打算说的话,但也不完全是废话。评定高级职称确实不是小事情,马虎不得。天涯常客虽然是自由撰稿人,并不指望凭高级职称涨工资,但是,职称的作用远远不止涨工资这么简单。别的不说,就说进深圳户口这一条,有高级职称和没有高级职称就差别很大。天涯常客以前并没有在意深圳户口,他在自己做企业的时候,是有机会把户口从老家迁来深圳的,但当时家乡的人非常看好他,希望他回老家投资,并打算增补他为当地的政协委员,所以他的户口就一直留在老家。而现在,他的企业破产了,他回头当文人了,回家乡投资是不可能的了,增补政协委员的事情更不会再提,提了他也不敢接受,考虑到一旦遇到出国办理护照或更换居民身份证和居民户口簿这种事情,外边户口确实不方便,所以他还真想把户口迁到深圳来。另外,天涯常客最近发现,深圳虽然是个移民城市,原本是没有排外观念的。但近年来随着城市的发展,社会各阶层逐步分明,维护社会各阶层利益的本位主义思想渐渐形成,或许并不排外,但是排穷思想已经渐渐产生。比如在计算人均收入的时候,说深圳人均收入超过4万元人民币。数字公布后,外地学者普遍认为算错了,觉得怎么算也达不到这个数,有弄虚作假的嫌疑,遂提出质疑。特别是作为"京城四少"之一的魏大炮,反应最为强烈,因为不久前他刚刚完成一个调查,调查为什么广东会发生民工荒。调查的结论是:近10多年来,广东的经济翻了两番,公务员的工资翻了两番半,但是,作为最广大民众的打工族,工资几乎没有增长,最典型的是深圳,公务员收入幅度增长最大,而打工族工资甚至出现负增长,而打工族占总人口的百分之八十多,一"人均"下来,怎么可能超过4万呢? 所以,魏大炮坚决不相信。对于内地学者的这些质疑,深圳市统计局立刻就出面做了解释,说虽然深圳实际人口已经超过1 200万,但户籍人口只有不到200万,本次统计的仅限户籍人口,也就是像公务员或医生教师或外资企业高级白领阶层这样的人口,所以,按这样一算,不是算多了,可能还算少了。统计局的解释虽然堵上了魏大炮等人的嘴,但是却让天涯常客看到了问题的另一面:敢情在政府有关部门的眼睛里,深圳的1 000多万的非户籍人口就不算"人"了? 至少在做"人均"统计的时候不被算作人。天涯常客因此感到非常震惊,甚至非常害怕,因为他自己就属于这不算"人"的1 000多万之列。考虑到天涯常客一直以"深圳作家"自居,假如内地的作家或读者知道这个"深圳作家"居然没有深圳户口,很难保证不说他是假冒伪劣的水货。为了不让自己成为假冒伪劣的水货,天涯常客非常希望把户口从家乡迁来深圳,评上高级职称,会方便一些。

第二天,天涯常客便开始准备申报材料。立刻就发现要申报的材料比他想象得多,而且根据他的经验,评定职称的申报材料跟传统中国菜的烹调道理差不多,油多不坏菜,材料越多越全面越充分越好。这点,天涯常客十几年之前申报中级职称的时候就知道。但是,毕竟十几年过去了,各方面都有很大的发展,天涯常客所要提供的材料也有很大的发展,以前评定中级职称时的材料一份也不能少,全部重新提供一遍,不提供就吃亏了,相当于炒传统中国菜油放少了。最近几年从事文学创作之后,新的成果更不能少,如果少了,凭什么让他评高级职称? 这么一算,天涯常客竟然发现上面发的表格设计并不合理,根本填写不了这么多材料。冥思苦想之后,总算开窍,干脆在电脑上写,然后用小5号字打印出来,再剪下来贴在表格上,个别栏目即使打印也排不下的,还可以折叠,几经折叠,终能排下了。

如此几天的努力,材料终于准备齐了,并且也打印粘贴上去了,却又发现了新的问题。虽然是评定高级职称,但高级职称之中又包含文学创作一级和文学创作二级两个等级,天涯常客是申报一级还是申报二级? 申报一级相当于正教授,申报二级相当于副教授,傻瓜也知道正教授比副教授好,就好比谁都知道正市长比副市长官大一样。但是,正因为大,是不是评定的时候难度会大一些呢? 要是贪大,直接申报文学创作一级,会不会报上去了不能通过呢?

天涯常客开始咨询,具体地说就是给朋友们打电话询问。几乎所有的人都主张他申报一级,说一级好,并说申报一级作家的条件是正式出版两部长篇小说。考虑到当时他已经正式出版十多部长篇小说了,申报一级肯定没有问题,既然肯定没有问题,那么干吗不申报一级呢? 但是,天涯常客没有轻易下笔,而是继续咨询,这是他的特点,做事勤快,风风火火,但关键地方绝不马虎。天涯常客想着自己虽然已经出版十多部长篇小说了,但是第一,自己从事文学创作才两年时间,这么短的时间就直接申报相当于正教授的一级作家,是不是太快了? 即使他自己不觉得太快了,那些参与评审他的老作家们是不是会感觉他太快了? 第二,天涯常客以前只有中级职称,申报二级没有破格,而直接申报一级职称要破格,

凡是破格，经过的程序就要多一些，难度自然也就大一些。为了慎重，或者说为了保证万无一失，天涯常客决定继续咨询，这次是直接将电话打到省作家协会，并且是换一个角度咨询。咨询的方式不是问自己该申报一级还是二级，而是问了另外两个问题。第一，如果申报一级，到时候没有通过，会不会自动降到二级？好比当年考大学，大学本科分数不够，是不是可以直接录取大学专科？会不会有影响？得到的答复是有影响的，不会自动降档。换句话说，如果一级评定不上，可能就失去评定高级职称的机会了，而不会自动退到文学创作二级。第二，假如这次被评上二级后，下次什么时候可以评定一级？得到的答复是两年之后就可以。这下，天涯常客心里有数了，决定先申报文学创作二级，两年之后再申报一级，不就两年时间嘛，不在乎。

当这一切都忙完之后，天涯常客突然发现，阿力宝和娃娃头这段时间都没有主动和他联系。当然，他自己也没有主动和她们联系。

天涯常客马上主动跟她们联系。在到底是先跟阿力宝联系还是先跟娃娃头联系的问题上，天涯常客是有原则性的，当即选择先跟阿力宝联系，因为阿力宝是他的老婆，还没有离婚的老婆，而娃娃头只是他的朋友，最多只是假如他与阿力宝离婚了，有可能成为他老婆的朋友。

电话打过去，不接。再打，接了。但口气不好，催天涯常客快说，她很忙。

这叫什么话？天涯常客想。夫妻分居了，千里迢迢打来一个电话，还要赶快说？说什么呀？没什么要紧的话可说呀！干脆，天涯常客也不说了，挂了电话。

天涯常客再给娃娃头打去。这次不用娃娃头转移话题，天涯常客主动说感情之外的事情，说小说的事情。说他最近正在写一部小说，是写社会转型期中国知识分子价值观发生转变的事情。果然，娃娃头这次不用发愣了，也不用打岔了，而是马上就说话，并且顺着天涯常客的话题往下说。说这个主题好，好在两点，一是反映了重大现实题材，二是有高度，达到了人性的高度，并说人的价值观就是人性的一部分。天涯常客一听，发觉娃娃头果然是文学爱好者，而且是达到一定高度的文学爱好者，这点又比阿力宝强多了。阿力宝不是文学爱好者，根本没有阅读的习惯，不仅不阅读别人的书，就是自己丈夫写的书，已经正式出版了，请她看一遍，她都不看。比如那部描写他们之间感情的小说，正式出版之后，天涯常客明确告诉阿力宝，这本书就是写他们俩的，要她无论如何看一看，阿力宝这才看了。但是，看到一半就不看了，说她已经知道结果了，既然知道结果了，那么就不用看了。仿佛看书是看足球比赛，既然事先知道中国队跟韩国队的比赛结果是零比二，那么还看什么看？但事实不是这样，书上的结果与阿力宝想象的结果正好相反。在那部长篇小说中，吴晓春最后并没有跟余曼丽结婚，但阿力宝没有看到，而自认为他们肯定结婚了，搞得天涯常客哭笑不得，甚至想到《抓壮丁》当中那个不识字的壮丁，被保长卖了还帮保长数钱的情节。所以，现在将娃娃头跟阿力宝一对比，天涯常客在更年轻、更漂亮、更富有的后面又加了一条，更懂文学。如此，他基本上就确立了放弃阿力宝追求娃娃头的总路线。

天涯常客的胆子大了一些。既然是文学爱好者，那么，他们双方就有了共同的可比参数，这个参数就是文学。而在这个参数的对比上，天平明显向天涯常客这边倾斜，他有理由胆子更大一些。

天涯常客不打算跟娃娃头玩捉迷藏游戏，直接向娃娃头挑明，挑明的方式就是撒谎，说他已经和阿力宝离婚了，现在是自由身了。

天涯常客说完之后，就有点心虚，担心娃娃头会不相信，会问："是吗？你们什么时候办理离婚手续的？她不是刚走吗？这几天你不是在准备职称申报材料吗？怎么有时间跑到武汉办理离婚手续的？"如果娃娃头这么问，天涯常客不打算进一步撒谎，而是打算搪塞。搪塞的方式是说虽

然还没有正式办理离婚手续,但电话中已经说好了,只等回去办一个手续就行了。如果娃娃头进一步说:"那你还是先办理手续吧,等办理完手续再跟我说。"那么天涯常客就等于得到了一种承诺,就可以根据这个承诺去武汉跟阿力宝办理离婚手续。但是,娃娃头并没有按照天涯常客的牌理出牌。娃娃头在听到天涯常客说他已经跟阿力宝离婚了,现在已经是自由身了之后,问了另外一个问题。

"离婚了?"娃娃头问,"你们的财产是怎么分割的?"

这还真是一个怪问题,天涯常客根本没有想过这个问题,当然,更没有想到娃娃头会问这样的问题。在他看来,娃娃头是亿万富妹,他和阿力宝是十万小康,亿万富妹难道还关心十万小康的财产分割吗?或者说还在乎十万小康的财产分割吗?所以,娃娃头这样一问,还真把天涯常客问住了。不过,天涯常客就是天涯常客,即便真被问住了也不怕,他可以临场发挥,他有这个能力。

"这个呀,"天涯常客说,"也很简单,深圳的财产归我,武汉的财产归她。"

"这次你给她的投资呢?"娃娃头问。

投资?什么投资?天涯常客想。想了一会儿,想起来了,他是对娃娃头说过阿力宝回来向他要钱在武汉投资做生意的事情。

"这个呀,"天涯常客说,"当然是给她算了。"

说完,娃娃头没有作声,天涯常客只好做进一步解释:"当初我投资创业的时候,她也帮过我。"

"那么房产呢?"娃娃头又问。

"房产?什么房产?"天涯常客反问。

娃娃头停顿了一下,说:"你们在深圳的房子好像写的是两个人的名字吧?"

"啊,是啊,是两个人名字。不过这个好办,只要在离婚协议上写清楚就行了。"天涯常客说。

娃娃头又停顿了一下,说:"最好还是先办理过户手续。"

说完,怕天涯常客不理解,还做了进一步解释,就是由天涯常客和阿力宝两个人过户给天涯常客一个人。

天涯常客听得费劲,但还是说:"啊,好,对,先办理完过户手续。"

打完电话,天涯常客感觉不对劲,怎么娃娃头对于这点小财产的分割如此重视,而对他和阿力宝到底是不是已经离婚了反而不重视了呢?难道女人都是本末倒置的? 还是娃娃头作为商人,完全掉到钱眼里面去了? 或者干脆像小老百姓说的那样,越是有钱就越小气?

天涯常客心里不舒服,联想到他跟娃娃头是这么好的朋友,在他从娃娃头的公司总经理位置上辞职后,娃娃头还通过公司财务经理暗示他把社保关系迁走,最后,天涯常客只好把自己的社保关系从娃娃头的公司迁到他同学公司。他那个同学叫张正中,是深圳市企业家协会副主席,而娃娃头是理事,所以他们也认识。当时张正中在指示部下办理这件事情的时候还发出疑问,不明白娃娃头为什么要暗示天涯常客把他的社保关系迁走。张正中说,天涯常客作为有正式职称的专业人员,关系放在公司里对公司只有好处而没有坏处,因为有关部门在考核公司的资质等级的时候,多几个有正式职称的专业人员还是有好处的。当初张正中提出这个疑问的时候,天涯常客并没有深想,现在把这两件事情联系起来一想,天涯常客就感觉娃娃头是不是太小气了? 或者说得好听一点,是不是太商人味了?

不管她,天涯常客想,人无完人,不可能要求娃娃头什么都好,既然她已经比阿力宝更年轻、更漂亮、更富有、更文学,那么,就应当允许她有一些缺点,比如比阿力宝小气一点。再说,女人毕竟是女人,小气一点也不是天大的缺点,也是可以原谅的。

第六章　男人承受不起女人的侮辱

天涯常客继续写小说，写那个关于知识分子下海的长篇小说。

曾几何时，天涯常客最大的愿望就是有一天不用上班了，既不用为别人上班，也不用为自己上班，每天坐在家里写文章，想写什么就写什么，想睡到几点钟起来就几点钟起来，再不用考虑上班迟到了，再不用顾虑复杂的人际关系了，再不用看别人的脸色了。他觉得那才是一种真正的生活，一种自由自在的生活，一种完全按照自己的意愿只做自己喜欢工作的生活，一种活出境界的生活。现在，他终于梦想成真了，终于可以不用上班了，终于成为自由作家了，但是，现实情况并没有像当初想象得那么单纯，那么美好，那么自由自在无忧无虑。首先，所谓"自由作家"必须是依靠写作吃饭的作家，而只要靠写作吃饭，不上班也要看别人的脸色。起码，他要看市场的脸色，如果他不看市场的脸色，那么市场就不给他好脸色。具体表现就是写出来的书卖不掉，或者出版社干脆就不给出版。而如果不能发表或出版，他靠什么吃饭？其次，当他充分享受了一段

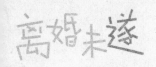

时间所谓的想睡到几点就睡到几点的生活之后,才发现人的本性是犯贱的,是需要约束的,长时间不受任何约束,反而不自在,反而觉得自己被社会遗忘了,在社会上没有自己的位置了,所以,反而空虚。于是,天涯常客又隐隐约约有一种想出去上班的期盼。当然,想归想,回头路是绝对不能走的。就是想走也走不成啊。四十多岁的人了,上哪儿找合适的工作?差的工作肯定不愿意做。天涯常客是做董事长或总经理的人,如果让他从头做起,做一般的管理人员,做小白领,他愿意吗?能适应吗?肯定不愿意,肯定不适应。而如果现在重新出去工作,哪儿有一个董事长或总经理的位置等着他?所以,天涯常客并没有重新出去工作,而是一面继续撑着当"坐家",一面自己做心理调节,调节的方式是不断地写长篇小说。因为一旦有一个新的长篇小说开张了,他就感觉自己开始"工作"了,并且是长期工作。现在,他就开始了那个描写知识分子下海心态的长期工作。

　　当然,天涯常客写长篇也不仅仅是为了获得"上班"的感觉。他认为这是他的本分。天涯常客认为,做人要守本分,他现在是作家,而且是已经申报了文学创作二级的正式作家,所以,就应当天天写小说。天天写作就是作为一个作家的本分,并且他在网上发表言论,强调作家一定要写作,一定要出作品,说作家不写小说,不能出作品,好比女人不做爱,不生孩子一样,怎么说都不是正常女人。针对有些作家多年不出作品,还振振有辞地说上一大堆理由,天涯常客毫不留情地反驳说:"写不出来就是写不出来,没有任何理由。好比老姑娘嫁不出去就是嫁不出去,不要找理由说自己条件太高,世界上没有能配得上的男人。"天涯常客如此咄咄逼人,当然遭到一些人的反感,但是他不在乎,他认为真正的作家不需要讨好任何人,不需要别人的好感,也不必在乎别人的好感还是坏感,只要出作品就行。天涯常客现在天天想的和做的就是出作品。

　　接受娃娃头的提示,天涯常客在写新作品的时候,更加注意大背景

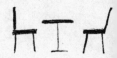

和人性两个层面,把当前中国社会的转型期,看作是继日本侵略中国和十年"文革"之后当代中国又一重大历史背景,把在这个转型期内中国知识分子价值观的转变当作是在重大历史转变过程中人性必然发生变异的一部分。这样一来,小说就有高度了。

天涯常客这部小说准备寄给作家出版社,在此之前,天涯常客虽然出了十多部长篇,但并没有引起评论界的太大关注。而同时期深圳一位女作家的一部长篇,却引起评论界的一定关注,尽管圈内朋友不服气,说那个女作家有行政职务,在小说出版后,公家掏钱为她举行了作品研讨会,请了不少评论家来捧场,因此才被关注的。但天涯常客不这么看,他认为,不管什么原因,被关注就是被关注,只要被关注,就一定有它内在的道理,而不在于是否召开了研讨会。于是,天涯常客就找来那本书,找它被关注的内在道理,或者说,拿它与自己同期出的小说作对比,看人家到底有什么内在的长处。这样一比,还真找出了对方的长处,而且是明显的长处,这个长处就是——天涯常客的书全部是文艺出版社出的,而那位女作家的那本书是作家出版社出的。这就是差别,这就是人家的长处,不承认不行。所以,现在天涯常客就打算让作家出版社来出版他的新小说。

在写新小说的同时,天涯常客没有忘记打算与阿力宝离婚然后与娃娃头结婚的事情。这一天他突然发现,自己目前的婚姻状态,与正在创作的小说中描写的情景一样,也是处在"转型"阶段。具体地说,就是从阿力宝"转型"到娃娃头。这么一想,他就发现了自己的不厚道,但很快就为自己的不厚道找到借口,为自己辩解。并不是他主动不要阿力宝的,或者说并不是他主动"转型"的,而是阿力宝主动翻翘的,或者说是阿力宝主动炒他鱿鱼的,这么一想,心里又安慰不少。这种自我安慰甚至影响到了写作,具体表现就是在写新作品的时候,不知不觉把小说中人物张绍康的转型归结为被迫，甚至暗示了这样一种观点——任何转型其实都是被迫的，不是显性的被迫就是隐性的被迫。这样一写，就又与人性扯上了关系，说明人性骨子里是有惰性的，如果不是被迫，那么，大多数人都不愿意主动改变自己的生存状态。

尽管为自己也辩解了，但天涯常客还是意识到了自己的不厚道。既然意识到了不厚道，就不能真的不厚道。于是，有一段时间，天涯常客甚至进行了自我反省，反省自己在婚姻上的"转型"是不是不厚道，是不是喜新厌旧，甚至由此想到了阿力宝的种种善举。比如在自己开公司的最后阶段，已经不能按时给员工发工资了，阿力宝主动拿出自己的私房钱来支持他；比如阿力宝辞去国营单位老总的工作，义无返顾地追随他来深圳，其实并没有享受人生的荣华富贵，最后竟然不得不回武汉重新创业等。这么综合思量，竟然没有勇气"转型"了。

但是，婚姻是双方的事情，并不以天涯常客一个人的主观意识为转移，正当天涯常客打算放弃"转型"并打算跟阿力宝重新和好之时，阿力宝却不干了。

天涯常客给阿力宝打电话，阿力宝态度更加恶劣，居然说："你不要总是骚扰我！"

"这是什么话?!"天涯常客大声喊道，"我是你老公，难道连给你打个电话的权利都没有了吗？"

"什么老公？你给了我什么？跟你这么多年，我得到什么了？"阿力宝的声音比天涯常客的声音还要大。

"我是爱你的。"天涯常客声音小了。

"爱、爱、爱，你就知道爱！爱值几个钱？"阿力宝的声音没有小。

天涯常客突然意识到了什么，问："你旁边是不是有人？"

"没有什么人。有人怎么样？没有人又怎么样？"阿力宝的声音由小

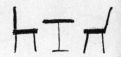

到大,由弱到强,并且很快就理直气壮,先声夺人。

"你……你是什么意思?"

"没有什么意思。"

"你……到底是什么意思?"天涯常客仍然底气不足。

"就是这个意思。"

"就是什么意思?"

"就是什么意思,你不知道吗?"

"我不知道。"天涯常客就是知道也会说不知道,至少,他不敢确认,或者说,他希望由阿力宝来确认。

阿力宝停顿了一下,问:"你没有看衣柜吗?"

"看衣柜? 看什么衣柜? 我看衣柜干什么?"天涯常客不明白。

阿力宝再次停顿了一下,说:"你先看看衣柜吧。"说完,把电话挂了。

天涯常客跑进卧室,打开衣柜,没有发现什么异常,比如没有发现阿力宝留给他的纸条什么的。但是,又感觉确实有点变化,但是到底是哪里变化了,看不出来。

天涯常客又打开旁边的一格,这一格是阿力宝的。打开一看,惊呆了! 怎么全挂着天涯常客的衣服?

天涯常客的卧室不大,主要就是一张大床和一个大衣柜,大衣柜其实包含两个衣柜,并且每个衣柜都是双开门,里面的一个双开门属于天涯常客,外面的一个双开门属于阿力宝。衣柜分三层,最上面一个空间放散件,比如短裤袜子这样的东西,中间一个较大的空间是悬挂衣服的,最下面是一个内嵌的小抽屉,放诸如毕业证身份证房产证和存折这样的文件。阿力宝这个人的特点是喜欢买衣服,买各种各样的衣服,不仅给她自己买,也给天涯常客买。阿力宝给自己买什么衣服,天涯常客从来不管,既然作为老公几乎从来不给老婆买东西,那么老婆自己买东西他还能管吗？但是，当阿力宝为天涯常客买东西的时候，他们常常争执，甚至为此还吵过，主要原因是天涯常客认为他根本就不需要那么多的衣服，说自己也不是艺人，有两三套能穿出去的衣服就行了，一天到晚买那么多衣服干什么？每当这个时候，阿力宝就拿出泼辣劲，说："又不花你的钱，白给你买衣服还有罪了？不识好歹的东西！"每次阿力宝这样一说，天涯常客就没话可说了，如果要说，比如说"什么你的钱我的钱？我们分家了？"那么，就肯定吵架，甚至打架。天涯常客不想吵架，更不想打架，所以就不说话。久而久之，天涯常客就攒了很多衣服，具体表现就是属于他的那个双开门里面挂了满满的各种各样的衣服，把挂衣服的木杆折断了，换上铁管，又折弯了，最后没有办法，换了不锈钢无缝钢管，才幸免折断或折弯。

刚才天涯常客打开自己的双开门，感觉有点不对劲，但到底是哪里不对劲，并不清楚，现在再打开阿力宝的双开门，清楚了。因为阿力宝把天涯常客衣柜里面的衣服挪了一部分到她的衣柜来了。天涯常客立刻就明白是什么意思了。明白之后，就感觉自己受了侮辱，极大的侮辱。

天涯常客知道阿力宝喜欢玩小名堂，但是他没有想到她竟然把小名堂玩到这个程度。天涯常客现在清楚了，一定是在他去广州参加省作协培训班的时候，阿力宝把她自己的衣服全部邮寄回武汉了，邮寄走了之后，她自己的衣柜就空了，怕万一被天涯常客发现了，她的真实意图就明显暴露了。如果那样，阿力宝就担心天涯常客不会那么爽快地给她钱了，所以，居然想出这个小计谋，在她自己的衣服被全部寄走之后，把天涯常客衣柜里的衣服挪一部分到她这边的衣柜，来遮天涯常客的眼睛。也真亏她能想得出来，并且果然有效，这么多天了，要不是阿力宝主动在电话里面让他看看衣柜，天涯常客还真不会发现。这也不是天涯常客粗心，主要是他根本就没有这份心，没这么想。再说，那么多的衣服，绝大多数都是天涯常客一次也没有穿过甚至永远都不会穿的衣服，被挪走一半他怎

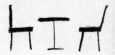

么会知道?

天涯常客现在震惊和气愤的是,阿力宝这样做也太小人了,不仅她自己小人,而且也把天涯常客当小人了。因为按照天涯常客的为人,即便阿力宝告诉他要把自己的衣服邮寄回武汉,天涯常客也不会反对的。不但不会反对,说不定还主动开车送她去邮局,根本不会因此而拒绝给她那些钱。所以,现在天涯常客就很生气。

天涯常客决定跟阿力宝离婚,就是没有娃娃头他也要离婚。

天涯常客给阿力宝打电话,表明自己的态度。阿力宝听了自然高兴,因为天涯常客终于说出了她盼望已久的话。并且,这话最好由天涯常客说,因为只有天涯常客主动说,那么阿力宝才主动。或者进一步明确说,阿力宝才可以不退还天涯常客给她的那些钱。

关于离婚的条件,两人在电话里很快就沟通好了,双方在武汉的一切财产,包括房产和正在装修的休闲中心,全部归阿力宝,而在深圳的一切财产,包括房子和车子,全部归天涯常客。至于天涯常客前不久才给阿力宝的那笔钱,也就是阿力宝在武汉正在装修的休闲中心的启动资金,他连提都没有提一下,因为当初天涯常客给她的时候,就根本没有打算往回要。

对于这样的条件,阿力宝当然是全盘接受,并且是欣喜若狂地接受。而对于天涯常客,他现在想的就是赶快离婚,快快从这场不幸的婚姻当中摆脱出来,只有这样,他才能够安心投入文学创作。现在,文学创作就是他的生命,不敢说是他的全部生命,至少说是他的大部分生命。

第七章 节外生枝

　　按照电话约定，天涯常客要回武汉与阿力宝办理离婚手续。这次天涯常客表现了坚定的决心，即使没有娃娃头，他也离婚。所以，他甚至没有对娃娃头说，也不能说，因为他已经含糊地对娃娃头说过他已经离婚了，现在怎么可能说又离婚？再说，天涯常客也不想把这两件事情搞在一起。天涯常客认为，离婚是他自己的事，与娃娃头无关。但是，正当天涯常客准备成行的时候，评定职称那边又冒出一个新问题，把他给拖住了。

　　原来，这次评定文学创作高级职称还有一条规定，申报人必须是省作协会员，否则不接受申报。而天涯常客从事文学创作才两年多时间，一年前才刚刚参加市作协，还没有来得及甚至还没有想起来参加省作协，所以，还不具备申报资格。这是他完全没有想到的事情。于是，他就很生气，生气这些人为什么不早告诉他，比如在去省作协参加培训班之前就告诉他。那样他还有选择，选择干脆放弃或紧急入会，现在等培训班也结束了，并且费那么大劲把材料也备齐了，表也填好了，才突然告诉他有这

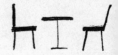

一条规定,不是折腾人吗? 放弃是不可能的了,因为已经产生成本了,而且是大成本。再说胃口也吊起来了,放弃难受。那么,只有紧急入会,但是,时间来得及吗?

省作协秘书处的黄小姐告诉他来得及,并主动说她马上用特快专递把申请表寄过来。天涯常客按要求填写完毕后,再立刻用特快专递寄回来,还来得及。

黄小姐说话算话,拿出全心全意为作家服务的精神来,果然很快就把申请表寄过来了。天涯常客打开一看,并没有那么简单。具体地说,就是并不是他一个人能完成的。首先,除了他自己按要求填写外,还要求有两个老会员做介绍人。另外,光填写不行,还要单位盖章。找人作介绍不难,天涯常客现在多少有些名气了,起码在深圳作家圈子里已经有相当的名气,基本上没有人不认识他,再说入会毕竟不是入党,找两个作家介绍一下不成问题,关键是单位盖章,天涯常客现在是"坐家"了,属于哪个单位呢?

天涯常客紧急思考了一下,马上就找出两个解决办法。一是用他以前自己的公司公章,二是找居住地的居委会。

用自己以前公司的公章最方便,他以前是当老板的,自己注册过公司,虽然这些年不做生意了,以前注册的公司早已自动注销,但是,公司的公章却还在他身边,是不是可以拿它盖一下呢? 凭常识,天涯常客认为盖一下肯定没有问题,前面说过,加入作家协会毕竟不是加入党,应该不会那么严格,只要象征性地有一个公章就行了,想想也知道不会有人吃饱了撑着去调查这个盖章的公司现在到底是不是注销了。但是,天涯常客是文人,文人的特点是做事认真,或者说是比较小心,小心就是胆小。现在明明知道公司已经注销了,还盖它的公章,不是弄虚作假吗? 万一人家认真起来怎么办? 不是很难堪吗? 再说,公司是自己的私人企业,所谓的单位当然也就是自己"单"干的"位"置,用自己"单干的位置"当"单位"来为自己盖章,不要说原则了,就是从情理上都说不过去。想着文学是神圣的,那么加入省作家协会也应当是神圣的,天涯常客不忍心弄虚作假,还是要坚持实事求是,这样心里才踏实。但是,怎样实事求是呢?天涯常客想到了第二个办法,让居委会盖章。

让居委会盖章行吗?省作协那边估计没问题,只要有一个公章就行,不会管他到底是哪里的公章。再说对于"坐家"来说,盖居委会的章也能说得过去。但是,居委会这边同意盖章吗?天涯常客户口在老家,不在深圳,虽然在深圳已经买了房,在深圳实际居住许多年了,并且还打算长期居住下去,甚至永远居住下去。但是,仍然不能算这里的居民,既然统计局在统计"人均"指标的时候都不把他算作"人",那么,居委会完全有理由不把他算作"居民"。好在居委会不远,就在本小区内,天涯常客抱着试试看的态度,拿着表格去问一问。一问,人家说主任不在,明天再来。第二天再去问,主任在了,说不行。尽管是事先估计到的结果,但作为文人的天涯常客还是喜欢较真,也比较生气,白白耽误了一天时间。于是就问主任:"既然我已经在这里买了商品房了,长期居住这里了,不算"居民"算什么?"天涯常客自以为自己很聪明,这个问题肯定能把居委会主任问倒。只要问倒了,那么他就开心了,即便没有盖成章,起码还不至于沮丧,因为开心可以冲淡沮丧。但是,他没想到,如今居委会的主任早已不是过去的街道老太太,而是年轻的大学生。他见天涯常客是作家,所以没有像对待盲流那样居高临下,而是表现出一定的尊重,耐心解释了一番。大意是:深圳是特区,所以特别,在人口问题上,一般的城市只有常住人口和流动人口,而深圳不是。深圳的人口由四部分组成,分户籍人口、常住人口、暂住人口和流动人口。像天涯常客这种情况,属于常住人口,但不属于户籍人口。所以,如果天涯常客要他们盖公章,也行,但必须由他户籍

所在地的派出所或居委会发一个函过来,请他们盖章才行。

天涯常客一听,不沮丧了,因为他气愤了,气愤得忘记沮丧了,气愤得想骂人。这不是脱裤子放屁嘛!要是有那工夫,请老家那边的派出所或居委会发函过来,我不能在那边盖章?干吗跟你们啰嗦?

但是,天涯常客是文人,起码他自己认为自己是文人,是文人就不能随便骂人,要不然,不是亵渎文人称号吗?所以,天涯常客这时候并没有骂人,起码嘴巴上并没有骂人,最多就是心里面骂人,心里面骂人不能算骂人。

后来事态的发展证明,没有骂人是对的,因为他很快就从没有骂人中得到好处。

当时的天涯常客虽然嘴巴上控制住了,但是心里没有控制住,所以,心里难受,表现在脸上就是脸色比较难看。居委会干部中有一位女干部看出他的脸色难看了,于是就表现出一定的同情心,说:"天涯常客呀,我知道,我看过你的一部小说。"说着,还在抽屉里面翻了几下,终于翻出一本《中篇小说选刊》,那上面正好有一篇天涯常客的小说,并且还有他的简介和照片。

女干部的举动果然让天涯常客的脸色好起来,而且好得过分,竟然红润起来,不仅虚荣心当场得到满足,而且突然想开了不少。想着即便自己没有能够加入省作协,即便没有评上文学创作高级职称,只要自己不断地出作品,不断地出版长篇或不断地上《小说月报》《小说选刊》和《中篇小说选刊》,那么照样受人尊敬,所以,大可不必为职称这样的身外之物自寻烦恼。

女干部的举动还吸引了居委会的其他几个人。这时候,其他几个干部一起围过去看那本《中篇小说选刊》,并且翻到结尾,看那上面的作者介绍和照片,再抬头看看天涯常客,仿佛是天涯常客每次从邮局领取稿费的时候遭遇的邮局工作人员，一边看天涯常客的身份证，一边打量他的脸。突然，主任发现了新大陆，说："这上面不是说你是市作协会员吗？"

"是。"天涯常客说。

"那你为什么不让市作协给你盖章？"

天涯常客一愣，对呀！我怎么没有想起来！

想起来之后，大约是为了向几个居委会干部证明自己就是他们手上捧着的那个天涯常客，立刻当着他们的面掏出手机，调出赵靖的电话，拨过去。第一句话就说"我是天涯常客"，然后把要盖章的事情说了。

"没有问题，"赵靖说，"你来吧。"

赵靖是市作协的副秘书长，具体主持作协的日常工作，她说没问题，那么基本上就没有问题。后来天涯常客还想，这事本来就该找市作协，找居委会。别说他们不同意盖章，就是同意盖章，能证明什么呢？

天涯常客长长地舒了口气。舒坦、得意、欣慰。然后对几个居委会干部逐一道谢，而几个居委会干部则向他道喜，并一直将他送至门口，说没想到这么大的作家居然就住他们这里，以后居委会有什么活动，还望大作家多多捧场。天涯常客自然先答应了再说，然后，像揭了红榜一样高兴而去。

第八章　离婚比想象的麻烦

　　天涯常客以前只知道结婚需要热情，没有热情结不了婚，现在他终于知道离婚也需要热情，而且需要更大的热情，否则离不了婚。本来，天涯常客已经怀着极大的离婚热情下决心要跟阿力宝离婚的，并且已经在电话里面对阿力宝说好了，就准备回武汉办理手续了，没想到中间节外生枝，拦了那么一杠子事情，转移了注意力，把天涯常客离婚的热情给消耗了。既然消耗了，那么想着不如先把手上的小说完成了，发出去，然后再回武汉。

　　电话打回武汉，向阿力宝解释。阿力宝表现出通情达理的一面，说了三个字：随便你。

　　天涯常客经过这番折腾，大脑反而更清晰了，犹如得到钱钟书前辈和韩寒后生的暗中相助，下笔更加流畅，竟然妙语连珠，比喻幽默而且恰到好处。天涯常客与传统的作家不一样，他不认为创作是痛苦的劳动，甚至对媒体说，如果你感觉创作是一种痛苦，那么，只能说明你不适合从事创作,所以,他主张快乐写作。并认为只有语言流畅,思想才能流畅,而只有思想流畅,整个小说才自然流畅。天涯常客现在就很流畅,很快,《转型》一气呵成。天涯常客用自己的行动再次验证了作家九月半的英明论断——天涯常客天生是个写小说的人,不管遇上什么事情,高兴的事情还是不高兴的事情,都能激发起他的创作热情。

《转型》寄出之后,天涯常客就要回武汉了。不管有没有热情都要回武汉。天涯常客是男人,说话算数,说离婚,当然就要离婚。况且阿力宝已经走了,不仅人走了,而且连衣服也带走了,根本就不打算再回来了,这样吊着也没有意思呀。再说,不是还有一个娃娃头嘛,从哪方面说娃娃头都比阿力宝好,干吗不离?

天涯常客开始收拾东西。不是收拾他自己的东西,而是收拾阿力宝的东西。尽管阿力宝已经把绝大部分东西提前邮寄走了,自己走的时候也带回去不少,但是,她的东西实在太多,还必须收拾,该扔的扔,该带走的天涯常客替她带过去。带过去对天涯常客没有什么意义,但是对阿力宝或许有意义,天涯常客这样做相当于顺便做件好事。

天涯常客喜欢顺便做好事。这个喜好与他一次真实的经历有关。

有一次,天涯常客去招商银行八卦岭支行办事,刚一下车,就有一个穿着体面的小伙子迎上来,向他讨要一块钱,说他是来深圳找工作的大学生,现在工作没有找到,但是钱包却丢了,所以向天涯常客讨要一块钱买个面包吃。天涯常客是开过娱乐城的人,什么样的场面没有见过?他一看,就知道小伙子是骗子,要真是大学生,读了那么多年的书,在深圳连一个同学都没有?还能落到乞讨的地步?再说,如果真是大学生,就应该知道,自从孙志刚的事情发生后,深圳已经撤消收容遣送站,建立了援助中心。如果他说的情况是真的,那么就可以打电话请求援助,根本不必乞讨。但是,天涯常客仍然给了小伙子一块钱,因为一块钱对天涯常客根本

就不能算钱,但是对这个小伙子肯定算钱,否则,他为什么要放弃尊严来乞讨?就凭他放弃尊严这一条,也值一块钱。天涯常客当时想,也许小伙子真的是遇到难处了,就当是顺便做件好事情吧,好心有好报的。果然,当天涯常客从银行里出来的时候,发现小伙子还没有走,正在跟几个警察对峙着。原来,天涯常客刚刚走进银行,马上就有几个警察赶到,他们一边用粉笔在地上写一个电话号码,一边开始拖车。假如没有那个小伙子,那么天涯常客的车子肯定被警察拖走了,如果那样,他只能按照地上留的电话号码打过去,询问要花多少钱,在什么地方可以把自己的车取回来,考虑到当时深圳的拖车标准是700块钱,加上打的费用和其他开销,花出去一千块钱是完全可能的。而且最关键的是耽误事情呀。但是现在不必了,现在小伙子说车子是他哥哥的,他哥哥在银行办事,马上就出来,所以不让警察拖走,警察在光天化日众目睽睽之下也不敢拿小伙子当孙志刚,所以,双方就这么僵持着。正在这个时候,天涯常客从银行出来了。天涯常客一出来,警察说了一声"这里不让停车",然后就知趣地走了。这件事情使天涯常客更加相信,善有善报。试想,如果刚才小伙子向天涯常客乞讨一块钱的时候,天涯常客没有给他,甚至还奚落一下对方,说小伙子是骗子什么的,那么,当警察来拖他的车的时候,小伙子能站出来阻拦吗?肯定不会。不但不会,肯定还说拖得好,赶快拖走,等拖走之后,说不定还用脚把警察留的电话号码踏掉,让天涯常客以为自己的车被小偷偷了。如果那样,得多大麻烦?所以,从此之后,天涯常客信奉要做好事,在不对自己造成很大妨碍的情况下,能做好事就尽量做好事。所以,天涯常客现在就想顺便把阿力宝留在深圳的东西带到武汉去。但是他很快就发现,这次做好事并不"顺便"。

天涯常客没想到阿力宝竟然有那么多的鞋子,给他的感觉好像是比菲律宾前总统马科斯夫人的鞋子还多。阿力宝自己喜欢的,不用说,肯定已经带走或邮寄走了,阿力宝不喜欢的,还足够让天涯常客收拾一个上午。

天涯常客认为这些鞋子肯定都是阿力宝不穿的,既然在深圳的时候都没有穿过,而仅仅是买,那么,千里迢迢带回武汉她就更不会穿,所以,收拾的过程其实也就是把它们找出来甩掉的过程。

天涯常客在甩这些鞋子的时候,竟然引起了轰动,引起了住宅小区的居民轰动。也实在是太多了,而且绝大部分是一次都没有穿过的新鞋子,所以,当天涯常客像文革时期红卫兵抄家一样把这些鞋子清理出去的时候,竟然引起人们的围观。邻居们纷纷叹息,叹息这么好的鞋子就这么甩掉了。认识他们夫妇的,甚至还叹息这么好的一对夫妻怎么说离婚就离婚了呢?可不离婚怎么办?人都走了,而且永远不回来了,不离婚怎么样?鞋子也是,不甩掉怎么处理?难道还要让娃娃头或天涯常客的某一位未来的夫人将来穿它们? 所以,叹息没有用,该离的还得离,该扔的还得扔。

除了叹息的之外,也有得实惠的。刚开始是打扫卫生的阿姨得实惠,后来几个年纪较大的阿姨实在不忍浪费,也加入得实惠的行列,最后,竟然发展到天涯常客扔出去一双,她们就立刻捡走一双。本来是离婚的事,搞得竟和当初结婚的时候撒喜糖一样了。

鞋子虽然扔了,但有些东西天涯常客没有扔。比如磁带和光碟,天涯常客想着阿力宝是搞文艺的,这些东西都是她的资料,甚至有些就是她自己的作品,怎么可以扔掉呢?在天涯常客看来,这些东西就和他自己最近发表的那些小说和早年发表的那些论文一样,对于别人来说,可能就是废纸,但对于他自己来说,是无价之宝,仿佛是自己好不容易生出来又养大的亲儿子,肯定不能扔掉的。于是,天涯常客找了一个大编织袋,把他认为对阿力宝重要的诸如磁带、光碟、通讯录、往返香港和内地的通行证以及一些看上去实在很值钱但阿力宝却忘记带走的衣服全部装进去。

天涯常客没想到这些从各个角落搜罗出来的看上去不起眼的东西有那么多,竟然在拉拉链的时候使拉链从编织袋上脱落下来。天涯常客停下来喘了口气,找来针线,再把它们缝在一起,重新拉上。

由于编织袋太重,而天涯常客又不能自己开车去火车站,因为他自己开车到火车站,且上火车走了,那么谁把他的车开回来呢?所以,天涯常客只好自己乘公交车,乘101路公交车。但是,101路公交车离他居住的小区尚有一段距离,平常空身散步,不显远,今天扛了一个蛮重的编织袋,就吃力了。这要是在武汉,好办,打个出租车就是。武汉的出租车便宜,起步价3块钱,像这样半公里不止一公里不到的距离,打出租车最合算,跟过去坐"麻木"的价钱差不多。但是,在深圳不行,因为深圳的出租车起步价12块5,不管你是半公里还是一公里,反正上去就是这个价。不到一公里,花12块5,也太不合算了吧?天涯常客虽然能花得起这个钱,但仍然觉得这样太奢侈,想想自己当年在建设兵团的时候,从团部到县城,往返40里接送女战友都毫不含糊,现在这点路,咬着牙肯定能过去。于是,硬着头皮往101路公交车站移动,搞得像民工。等上了公交车,除了喘气明显加粗之外,头部竟然都有点不舒服了,像感冒了一样。不知道是年龄不饶人还是长期当"坐家"坐得不饶人。

接受教训,上火车时,天涯常客不逞强了,早早地请了搬运工,下车的时候也一样。

当天涯常客千辛万苦地把这袋东西交到阿力宝手上的时候,阿力宝说:"你这么辛苦干什么?这些东西都是我不要的呀。"

天涯常客不想生气,这时候他只能做心理安慰,想着阿力宝这样说的本意是心疼他,心疼他累着,而不是真的说这些东西没有用。再说天涯常客回来是办理离婚手续的,不是来听好听的话,也没必要计较。

二人像当初结婚的时候一样,赶了一个大早去办理离婚手续。

新婚姻法颁布实施之后,结婚和离婚都更加方便了,起码,不需要单位证明了,而且收费也低许多。天涯常客在填写表格的那一刻,竟然莫名其妙地流泪了。他不知道自己为什么要流泪,不是说好了的嘛?好在当时旁边另外一对中的那个女人在嚎啕大哭,所以,天涯常客的流泪并没有引起任何人的注意。虽然别人没有注意,但阿力宝注意了。阿力宝再次表现出女强人的一面,不动声色,面无表情,大义凛然,像刘胡兰。

填完表格,要照相,因为离婚证上要贴照片。还好,办理机关不知道是为了方便民众还是为了合理创收,早就准备好了照相室,当场办理,立等可取。天涯常客这时候也顾不得钱多钱少了,相对于千里迢迢从深圳赶过来来说,照相的30块钱也实在算不上钱。

等一切都办理妥当了,才被告之他们不能办理离婚手续,理由是:天涯常客没有带户口簿。

"有身份证不就行了吗?"天涯常客说。

"不行,一定要户口簿。"工作人员说。

天涯常客想到了行贿,塞给工作人员一百块或两百块钱,当初他结婚的时候就这么干的。结婚的时候,由于不可能跑回老家开证明,天涯常客事先准备了一个红包,还真办成了。但是,今天的情况不一样,今天他事先没有想到要户口簿,所以没有想到要行贿,于是就没有准备红包,如果直接给钱,好像拿不出手。再说,结婚与离婚不一样,结婚的时候,给个红包或给包喜糖,很正常,而离婚的时候也这样,就不正常了,起码在阿力宝看来就不正常了。阿力宝会想,你就这么迫切希望离婚?为了不想在阿力宝面前表现出他非常迫切要离婚的样子,天涯常客终于没有行贿。

"中午一起吃个饭吧。"阿力宝说。

阿力宝到底是老板,正宗的老板,过去是,现在仍然是,处理这些事情比天涯常客自然,说出口的时候也自然。天涯常客一听,这还真是一个

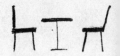

好主意,吃饭不是行贿,但效果一样,只要工作人员中午跟他们一起吃饭了,那么下午肯定也就给办了。

但是,工作人员谢绝吃饭。

虽然没有接受邀请,但态度却明显好转。工作人员说:"如果你们实在着急,可以通过法院办理,但是要收费。"

"收费没关系,"天涯常客说,"只要能办成。"

天涯常客想着,即使收费,也比再跑一趟强。

"麻烦不麻烦?"阿力宝问。

"不麻烦,"工作人员说,"不需要去区法院,只要去球场街司法工作室就行了,去了就办。"

天涯常客和阿力宝自然千恩万谢,携手而出,搞得像办喜事,连工作人员都笑起来。

中午天涯常客请阿力宝吃过饭,下午两人来到球场街司法工作室,却整整等了一个多小时。

球场街司法工作室虽然非常小,小到也只能办理一些邻里纠纷和离婚这样的小案子,但是架子却一点都不小,不仅门头上照样挂着国徽,而且机关老爷的作风一点都不含糊,不到两点钟绝对不开门。

开门之后,接待他们的是个毛头小伙子。尽管是毛头小伙子,估计也就是大学刚刚毕业,但脸上的表情却完全像大法官,认真严肃地听取了二位当事人的陈述,然后告诉他们:既然是男方没有带户口簿,或者是无法出示户口簿,那么,只能是男方当原告,告女方。

天涯常客听了不舒服。什么原告被告呀,谁告谁呀?不就是协议离婚嘛。

天涯常客拿出在深圳就写好并且复印了几份的离婚协议,呈给"大法官"。

　　"不行，"大法官说，"关于财产的分割要写清楚，具体在什么位置，多少平方米，价值多少。"

　　"不必了吧？"天涯常客说，"只要我和她清楚就行了。"

　　"那不行，"大法官说，"你不标明价值，我们怎么收费呀。我们是要按照你们分割财产总值的2%收取费用的。"

　　"多少？"天涯常客问。

　　"大法官"到底年轻，还没有被官场上的味道熏透，所以没有耍脾气，耐心地又说了一遍。

　　天涯常客心里简单地算了一下，成本太高，高到以万计算了，差不多相当于往返10趟深圳的费用。

　　天涯常客正在思量着，阿力宝已经站起来，说了一个字：走。

第九章 怎么会梦见海伦

在从汉口至武昌的的士上,两个人都不说话,明显地生气,但不知道该生谁的气。平心而论,阿力宝有资格生气,生天涯常客的气,生拒不吃饭的工作人员的气,还可以生"大法官"的气。但是,天涯常客不行,他没有资格生气,因为这种不愉快的后果是他自己造成的。如果他像阿力宝一样,把户口簿带来了,那么还有这一大堆"气"吗?所以,这时候的天涯常客很为难,不知道该做怎样的表情。生气是肯定不可以了,因为事件是因他疏忽大意而引起,他怎么有资格生气?生谁的气?如果他一表现出生气,那不是更惹阿力宝生气吗?阿力宝现在心里面已经很气了,正好找不到发作的导火索,一旦天涯常客这时候表现出生气,正好把她点着了,后果就很严重了。所以,天涯常客此时不能表现出生气。但是,高兴也不行,如果这个时候天涯常客表现出高兴,那么,阿力宝肯定就以为是他故意不带户口簿的。如果那样,阿力宝不仅生气,甚至还有点看不起他,心里笑话他不是男人,不敢离婚,故意演戏,玩这种雕虫小技。因此,天涯常客也没有资格高兴。既不能生气也不能高兴,那么,天涯常客该做什么样的

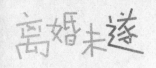

表情呢?

正当天涯常客为自己的表情为难的时候,手机响了。这时候手机响了,或许还能给天涯常客一种解脱,起码是表情上的解脱。但是,也可能是制造新的麻烦。如果这个电话是娃娃头打来的,那么不是麻烦吗?根据天涯常客对女人的了解,特别是对阿力宝的了解,如果这个时候娃娃头给他打来电话,那么,阿力宝肯定是不高兴的,说不定,正好为她本来就伺机等待的发作找到一个最佳借口。

还好,电话不是娃娃头打来的,是海伦。是海伦就好,因为她不是天涯常客的朋友,而是阿力宝的朋友。

其实说海伦是阿力宝的朋友也不确切,应该说阿力宝是海伦的客户。海伦也是武汉人,做一种国外化妆品的推销,借着老乡关系,鼓动阿力宝在她那里买了各种化妆品,花了不少钱。现在阿力宝走了,回武汉了,并且回去之后立刻就换成了武汉的号码,原来的手机号码不用了,海伦找不到阿力宝,就给天涯常客打电话。先是套近乎,天涯大哥长天涯大哥短地套近乎,最后,拐弯抹角地打听阿力宝什么时候回来。由于这时候天涯常客跟阿力宝还没有办理离婚手续,而且以后的事情到底怎么样还存在理论上的不确定性,所以,不便对海伦说的太多,于是,海伦就不断地打电话,这不,居然把电话追到武汉来了。

说实话,这样的电话让天涯常客很无奈,接也不是,不接也不是。接了不知道说什么,不接又不礼貌。但是,现在她打这个电话倒不是什么坏事情,因为阿力宝就在身边,正好,天涯常客把手机递给阿力宝,说:"你的,海伦。"

"哎呀,丁姐呀,我可找到你了。你老公好棒哟,今天报纸上又登他的消息,说他又出新书了呢。"海伦叫起来,而且叫得声音很大。不知道是她本来就喜欢叫,还是想以这样的夸张语气证明她们之间关系好,或者是想证明她跟阿力宝老公之间没有任何关系。

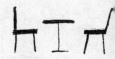
阿力宝不冷不热，有一搭没一搭的哼哈着，同时，怒瞪了天涯常客一眼。天涯常客不接她的目光，两眼直视前方，目不斜视，心里想：你的朋友，管我什么事情？

阿力宝在天涯常客这里没有得到回应，马上口气一变，对着海伦严肃地说："你以后不要打他这个电话了，我跟他分手了，回武汉了。"然后挂断电话。

话虽然是对海伦说的，但海伦此时在深圳，远隔千山万水，听了阿力宝这样的话，不知道会有怎样的反应，可是，近在咫尺的天涯常客听了感觉非常不好，觉得阿力宝太霸气了，说话太狠了一点，至少可以委婉一点嘛。

天涯常客心里虽然这么想，但嘴上肯定不能这么说，毕竟，阿力宝现在心情不好。再说，她肯定再也不打算交海伦这样的朋友了，联想到曾经在她手上花了那么多的钱，让海伦得到了那么多业务提成，现在态度生硬一点也情有可原。而天涯常客之所以感觉不好，仅仅是一种习惯，一种尽量不驳朋友面子的习惯。尽管海伦可能算不上什么朋友，但起码是熟人，天涯常客连驳熟人的面子都不习惯。

阿力宝没好气地把手机还给了天涯常客，问："她经常给你打电话？"

天涯常客吐出一口气，像是抽烟的人使劲吹出一大口烟那样出了一口气，然后才说："打过几次，都是找你。"

阿力宝说："你少跟这小妖精交往！"

天涯常客心里不服：什么叫我跟她交往？我什么时候跟她交往了？明明是你的朋友，起码是做你生意的朋友，她打电话找你的，跟我有什么关系？再说我要是真和她交往又怎么了？你管得了吗？我们不是要离婚了吗？你管我跟谁交往？

再一想，阿力宝可能也没有坏意，可能还真是怕我吃亏上当。再说，不是还没有离婚嘛，严格地讲他现在还是阿力宝的丈夫，既然还是她的丈夫，那么，她这样提醒也不算过分。

车到武昌，阿力宝邀请天涯常客去她的休闲中心休息一下。天涯常客这时候发现还真累了，又累又困，再说时间还早，进去洗个脚也好。

休闲中心远比天涯常客想象得豪华，但生意并不怎么样，这时候几乎没有几个人。天涯常客说："我当顾客吧，我洗脚。"

"行，我请客。"阿力宝说。

"不，你刚开张，我买单，照顾照顾你生意。"

阿力宝没有再坚持。

大约是天涯常客坚持买单的缘故，迫使阿力宝不得不把他当成了顾客，所以，这时候阿力宝对天涯常客的态度也基本上实现了正常化。主动告诉天涯常客，他给的那些钱只能算启动资金，凭着那点启动资金，她又拉着她妹妹和姐姐一起投资，才做成这样的规模。

天涯常客点点头，表示相信，看装修就相信。

"生意一般呀。"天涯常客像一个熟悉的顾客一样说。

"马上要搞麻将，光靠洗脚不行。"阿力宝说。

天涯常客再次点点头，表示相信或者表示认同，认同阿力宝的想法，相信阿力宝的能量。

"你去忙吧，我正好休息一会儿。"天涯常客说。

阿力宝走后，天涯常客叫服务员捏轻一点，然后还真迷迷糊糊睡着了一小会儿。

一觉醒来，竟然发现火车快误点了，赶紧买单，被告之28元。

天涯常客拿出30元，说不用找了，匆匆忙忙对阿力宝打了个招呼，急匆匆往火车站赶。路上，不断地安慰自己，反正沿京广线南下的火车多得是，即便没有赶上95次特快，随便搭上一列快车明天早上都可以到广州，只要到了广州，不就等于到了深圳吗？

这么想着，果然就安心不少，也不催司机开快车了，并且还有心情想着刚才买单的问题。

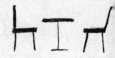

　　天涯常客刚才买单的时候，没有来得及思量，现在回过头一想，还真不便宜。在深圳，一般的洗脚也就25元，天涯常客会找地方，竟然能找到15元的新场子，而阿力宝的休闲中心28元，竟然高于深圳的一般水平。联想到他自己经常发牢骚，抱怨深圳的消费是内地省会城市的3倍，而版税和稿费一点都没有优惠，叹息在深圳当自由作家是一种奢侈。现在看来，要看什么消费，如果是衣食住行的普通消费，武汉可能是比深圳低许多，但是，如果是洗脚这样的享受型消费，也不一定，至少差不多。

　　这么想着，出租车好像反而快了，竟然一下子就到了武昌火车站。

　　尽管比他想象得快，但再排队买票上火车肯定是来不及了。天涯常客想到当初刚从内地来深圳的时候，竟然可以凭解放军国际关系学院的学生证享受军人优先，现在肯定是没有这样的待遇了，那么作家是不是也可以先上车再补票呢？或许也可以，说不定呢。作家不是跟记者差不多吗？记者好象是可以的，作家是不是也可以？反正也就是碰碰运气，不妨试试。但是，他身上也没有"作家证"呀，而且据他所知，作家不比记者，还专门有一个记者证，作家没有。别说不知道作家是不是可以优先，即便可以，总不能凭嘴巴上说自己是作家而享受这个待遇吧？但天涯常客又确实想上95次特快，如果车已经开了，当然就不想了，随便另找一列快车，到广州再说。而现在明明看着95次直达深圳的特快就在眼前，却不能上去，天涯常客难受。突然，他想起来了，他身上带着一本刚刚收到的《人民公安》，本准备带在路上看的，后来由于没有心情，也没有看，能不能靠它证明自己的身份呢？应该可以，因为本期的《人民公安》上正好发表了天涯常客的一个公安题材的长篇小说，所以就用他的头像做了封面。而且这个头像是天涯常客的近照，也就是几个月之前刚刚照的，模样没改，说不定还真能证明自己是作家的身份。考虑到《人民公安》是公安部的刊物，或许警察能买账。于是，天涯常客马上就取出那本《人民公安》，奔向旁边的一个警察。警察大约是第一次遇到这样的情况，看看杂志封面，又看看天涯常客，态度异乎寻常的好，好到把他当成了领导，来自公安部政治部或宣传局的大领导，不但客气地送他进去，而且还参照天涯常客刚才找他的样子，拿着杂志找乘警。乘警更加客气，不仅立刻将他安排在尾部车厢，跟乘务员享受同等待遇，而且还要帮他办理免票。

"谢谢，不用了，我能报销。"天涯常客说。前半句是真话，是真的谢谢，谢谢武昌火车站的民警，谢谢95次特快上的乘警；后半句是假话，他是自由作家，没有单位，不是吃皇粮的，哪里能报销？中间半句是心虚的话，担心一旦办理免票手续，就肯定要核对证件，到时候难免露馅，为了不露馅，只好说"不用了"。

虽然天涯常客主动说不用了，没有进一步享受免票待遇，但是，毕竟顺利地赶上了95次特快，毕竟顺利地躺上了卧铺，也算是此次武汉之行大不顺当中的小顺利吧。

躺在卧铺上，天涯常客很快睡着了。这是天涯常客的优点，与他的出身有关。天涯常客出生在安徽马鞍山，父亲是交通部门的一名小干部，小时候他家住马鞍山二场站，整天饱受火车来回地折腾，所以，成年之后，别的本事没有，上火车就能入睡的本领是到家了。睡梦中，天涯常客没有梦见阿力宝，也没有梦见娃娃头，竟然莫名其妙地梦见了海伦。海伦就是下午给他打电话的那个人，也就是向阿力宝推销化妆品的那个女孩。说实话，天涯常客对这类搞推销的女孩并没有什么好印象，用他的家乡话形容，逞，就是脸皮比较厚的意思。不管对方是什么态度，只要有做成业务的可能，就往上蹭。所以，天涯常客不大喜欢这类人，既然如此，他怎么会梦见海伦呢？怪事。

第十章 网络世界并非完全虚拟

第二天早上天涯常客回到家,第一个任务就是坐在马桶上看报纸,看这两天的深圳商报和深圳特区报。果然,在深圳商报文化娱乐版的头版右下脚看到关于他出版新小说的报道。虽然文字不多,但足以满足他的虚荣心。天涯常客当时最希望的就是娃娃头也能看到这则消息,最好看到之后,也能像海伦一样,打电话过来热烈祝贺。但是显然没有,因为已经一天过去了,娃娃头并没有打电话来,说明她要么根本就没有看到,或者看到了,但根本没有把它当回事。毕竟,这仅仅是一则消息,而不是配了天涯常客大照片的专题报道。天涯常客想了想,按捺不住,想打一个电话给娃娃头,提醒她看一下。想了好一会儿,觉得不妥,主要是这段消息文字太少,专门打电话叫人家看实在寒碜,就好比一个人口袋里本来没有几个钱,却大张旗鼓地张罗着要请人吃饭一样。但是,他跟娃娃头对话的机会本来就少得可怜,现在好不容易逮着一个既能对话又能炫耀的机会,完全浪费实在是太可惜了。最后,准确地说是从厕所里出来之后,他想到了一个好办法。

天涯常客用自己的手机打娃娃头的电话，告诉她自己正在武汉办事，而没有说已经回来了。娃娃头愣了一下，马上就表现出波澜不惊，并没有像一般的女人那样问他是不是去武汉跟阿力宝办理离婚，甚至没有问他去武汉做什么，只是说一些不疼不痒的闲话，仿佛以此来声明天涯常客去武汉跟阿力宝离婚根本不关她的事。她不问，天涯常客也就不说，而是继续按照自己想好的思路说，说他昨天晚上接到深圳一个朋友的电话，告诉他昨天的深圳商报上有一个关于他的消息。因此，他想请娃娃头帮他买一张昨天的深圳商报。

"昨天的呀，"娃娃头说，"估计买不到了。不过没关系，我让办公室把公司里订的那一份给你留着。"

"不用全部留，"天涯常客说，"只要文化娱乐版的头版就行。"

"没问题。"娃娃头说。

放下电话，天涯常客不是滋味，娃娃头果然没有看到那则消息，而且在天涯常客主动打电话告诉她这个消息之后，竟然也没有表现出丝毫的兴奋，这只能说明她不关心天涯常客，甚至还不如海伦关心。尽管海伦的关心带有明显的商业目的，但不管是什么目的，被别人关心总比被别人忽视要好。这么想着，他竟然有一种想主动给海伦打一个电话的冲动。但天涯常客显然已经过了冲动的年龄，只是这么想了，却没有真的这么做，而是躺在那张曾经跟阿力宝共同拥有的大床上，把自己舒展开，舒展成大字型，不，准确地讲应该是"太"字型，然后，直瞪瞪地看着天花发呆。

天涯常客上网，既然现实生活不尽如人意，那么还不如上网玩虚拟。

他首先上澳一网，尽管澳一往不如天涯网热闹，用九月半的话说，在天涯网上，只要20分钟没有人跟帖，自己的帖子马上就被挤兑到下一页。

但是,正因为太快,给天涯常客的感觉是没有人真正在上面看帖子。一个人在不断奔跑的过程中怎么能认真地看别人的帖子呢?天涯常客对天涯网的好感缘于亲切,因为那上面的人都像深圳人,每天奔跑,急吼吼的,急于出卖自己,语不惊人死不休,无论是网名还是帖名,都遵循一个目标——引起别人的关注。网名起得吓人,比国际一流的大作家名字还牛,像河南出了一个著名作家二月河,天涯网马上就冒出一个"二月河上",比真正的二月河还要大。帖子的名称更牛,有个女大学生竟然写了个"你们谁想要我"这样的文章,足以让池莉的"有了快感你就喊"逊色不少。天涯常客现在自己心里面已经够闹的了,想找一个清净的地方,所以,就来到了澳一网。澳一网与天涯网完全是两种不同的风格,安静,温馨,还真能让人静下心来看帖子,读自己喜欢的文章。天涯常客需要热闹的时候上天涯网,需要宁静的时候上澳一网,比如现在。

天涯常客跟九月半就是在澳一网上认识的。

那时候天涯常客刚刚上网,还很新鲜,好玩,还像歌舞厅里面的坐台小姐一样,生怕自己不被人注意,所以,逮着一个叫马老大的网客开涮,写一个开头,然后等着有人跟帖,只要有人跟帖了,那么他就以这个跟帖的人为小说中的人物,接着往下编。九月半就跟了一帖,天涯常客立刻就把他编进去,把他编成新疆建设兵团的一个团政治部主任,九月半觉得很好玩。但是,马老大不开心了,因为天涯常客把马老大编成靠请人代考和行贿导师才混入文人队伍的学者。马老大觉得天涯常客侮辱了他,生气。但是,马老大毕竟年纪比较大,在澳一网上一直以老师自居,必须保持德高望重的形象,所以不便直接发火,于是,悄悄地给大版主发消息,打电话,提出抗议。大版主是大城市人,比较有见识,虽是小女子,但竟有草原男人的豁达。她自己就被天涯常客编成少女时代被别人偷看过洗澡,但并不生气,起码没有马老大那样生气,而是以大局为重,觉得澳一网的文学论坛本来就冷清，现在冒出一个活跃分子，或许是好事情。就对马老大说，你本来就没有读过研究生，而这个天涯常客是20世纪80年代正儿八经的硕士，把你调侃成靠请人代考和行贿导师的研究生也没有让你吃亏。马老大一听，更加不干了，不仅对天涯常客有意见，而且对大版主也有意见了，甚至怀疑天涯常客是大版主专门请来打击他的，于是，到处串联，向二版主、三版主甚至是四版主卖乖和投诉。二版主是个没有经历过多少事情的纯情少女，起码精神上是相对纯情的，自然没有大版主那样透彻和豁达，感觉版主也是官，并想起了经典戏剧中寇准的名句——当官不为民做主，不如回家卖红薯。二版主当然不愿意回家卖红薯，所以就决定为民做主，为马老大这样的网民做主，因此，她立刻发表了一封公开信，对天涯常客的行为进行谴责。天涯常客哪里是省油的灯？马上答复：立刻删除原来对马老大的调侃文字，同时请教二版主，为什么不能私下提醒他一下，非要搞得像文革时期贴大字报一样发公开信？二版主没有经历过文化大革命，想象不出文革时期贴大字报是什么情景，而且年轻气盛，对天涯常客的底细也不了解，见天涯常客敢公开顶嘴，立刻感觉自己的绝对权威受到了严重的挑战，于是，联络各路英豪对天涯常客围攻。但天涯常客不在乎，兵来将挡，水来土掩，始终抱着一句话，网络世界是虚拟世界，大家调侃玩玩，某些人这样认真，不是心胸狭窄就是缺少见识。天涯常客表面上态度谦虚，实际上却句句绵里藏针，搞得二版主若再紧逼不放，就真显得自己缺少见识和心胸狭窄了。最后，终于逼得马老大揭开面纱，亲自上场，并且参照天涯常客的语言风格，说其实他自己并不在意，只是天涯常客的小说当中还涉及到其他网友，他们有意见，但敢怒不敢言，所以他马老大才挺身而出，主动承担责任，要求版主干预的。

马老大到底是老姜，这番表态不仅维持了自己作为德高望重的老师

形象,而且也的确让天涯常客陷入被动,如果真的是其他网友有意见,而马老大是替天行道。那么,无论天涯常客怎么调侃和狡辩,都是难以收场的。

九月半就是在这个时候出场的。

九月半的帖子非常简单,仅仅是说他自己被天涯常客写进了小说,但是并没有生气,相反,还觉得蛮好玩的。

九月半这么一说,天涯常客和马老大都不说话了。天涯常客是根本不用说什么了,而马老大是不知道自己还能说什么了。如此,天涯常客和九月半成了朋友。

九月半和天涯常客一样,也是深圳的自由作家。学历不高,学问不浅,还知道余华和汪曾祺,知道汪曾祺就是革命现代京剧《沙家浜》的作者。天涯常客佩服九月半,没有学历,没有任何背景,竟然能在深圳立住脚,先是当编辑,后又当作家,不但自己能吃饱,还能养活老婆孩子,不得了。九月半佩服天涯常客,认为天涯常客才是真正的作家,因为天涯常客不但出版了十多部长篇小说,而且还不断地在纯文学杂志上发表中短篇小说。九月半是个固执的人,他固执地认为,只出书不能在杂志上发表小说的人不能算真正的作家,甚至说中国作协副主席张海迪都不能算真正的作家。因为张海迪是先出名然后才出书,并且是出了很大的名然后才出书的。九月半强调:名人出书不能证明文学水平。

"她如果真有水平,"九月半说,"就应该在纯文学杂志上发表中短篇小说。凭她的名气和地位,只要稍微能说得过去的,杂志社敢不给发表?"

所以,九月半说天涯常客才是真正的作家,而许多出书的名人不是。

文人在一起最大的矛盾就是相互看不起,那么,反过来,文人之间最深厚的友谊就是相互佩服。现在,天涯常客和九月半就是这样一对相互佩服的文人。

离婚未遂

　　天涯常客上了澳一网，并没有找到九月半，却看见一个叫江南春雪的散文不错。天涯常客自己不会写散文，主要是他的心太散，一旦写起来，怕收拢不住，但是他喜欢看散文，散文单纯，轻松，不像小说那样有悬念，把本来简单的生活故意搞得跌宕起伏，像本来没有高潮的女人却硬要干叫一样。

　　天涯常客有一个奇怪的认识，认为文章美的女人相貌也一定美。看着江南春雪的散文漂亮，就想象着作者也一定很漂亮。打开个人资料一看：女性，未婚。天涯常客心里一阵激动，仿佛这个会写散文的未婚女性就是他的未婚妻了，起码是自己未婚妻的候选人之一。于是，天涯常客就想起一句古语，"天涯何处无芳草"。想着即使没有娃娃头，或者是有娃娃头，但娃娃头并不在乎他，那么，凭现在自己在文坛上的成就，娶一个年轻漂亮的美女文学青年当不成问题，并且沿着这个思路继续往下想，想着真要是找一个年轻漂亮的美女文学青年做老婆，也未必就比找娃娃头差。这么想着，天涯常客竟然有一种解气的畅快，仿佛自己是皇帝，至少是文学王国的皇帝，这个王国里面所有的美女都愿意嫁给他，并且是争先恐后地嫁给他，他要找哪个都可以。

　　天涯常客的心情好起来了。再回头一想娃娃头的态度，竟然也宽容许多。想着问题不在娃娃头，而在他自己，自己到现在连婚都没有离成，凭什么要求娃娃头对你热心？再说，娃娃头是企业家，如今的企业家基本上都具备了过去当领导的素质，大企业家更是具备大领导的素质，否则怎么能管理一个大企业？在计划经济时代，企业领导人和如今庙里面的老和尚一样，也是具有行政级别的，大企业的领导人行政级别相当于高干，而高干是有城府的，所以，娃娃头也应该有城府。那么，即便她现在关心他，也要装着不关心，即便她昨天看见深圳商报上那个关于他的消息了，也会装着没看见。这么想着，天涯常客就找到了问题的核心，这个核

心就是尽快结束自己与阿力宝之间名存实亡的婚姻。否则,不但痛苦,而且还成为自己的障碍,比如跟娃娃头之间的障碍,还比如跟这个关系可能发展的叫江南春雪的文学女青年之间的障碍。

第十一章　都离了,还那么在乎她的感受吗

天涯常客再次回到武汉的时候,核对了三遍,把一切要带的资料全都带齐了,想着这下该不会有什么事情了吧。但是,就是这样,又差点没有办成。

在从武昌到汉口的的士上,阿力宝突然问天涯常客:"这个世界上你最喜欢哪个女人?"天涯常客想着反正马上就要跟她离婚了,用不着说谎,再说既然马上就要离婚了,总不能说最喜欢你吧,于是,随口就说:池莉。本来天涯常客就是随口说说而已,好比是一个女球迷说她最喜欢的男人是贝克汉姆。现在天涯常客已经迷上了文学,相当于"文迷",像他自己在网上说的,除了文学,他已经一无所有。但拥有文学,他仿佛拥有了整个世界,而池莉就是将他引入文学世界的人,准确地说是引入文学世界的女人,就是女球迷心目中的贝克汉姆。那么,阿力宝问他这个世界上他最喜欢哪个女人,天涯常客回答最喜欢池莉当然不能算错。但是,他没有想到,马上就要跟他正式办理离婚手续的阿力宝醋劲还这么大,听了

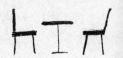

天涯常客这样说了之后，立刻就不高兴了，并且是相当的不高兴，甚至不高兴到不去办理离婚手续的程度。本来离婚是因阿力宝引起的，但现在既然已经提上正式议程，而且，天涯常客已经把它当成一件事情来做了，并且为此已经折腾两次了，哪能说不离就不离了呢？于是，天涯常客就说好话，说他是瞎说的，并且说，池莉是有老公的，也不可能跟我。

"这么说你还真喜欢她？"阿力宝说，"如果她要是没有老公，那么你就真的找她？"

天涯常客不敢说话了，连说好话都不敢了，怕越描越黑。

天涯常客不说话了，但不代表阿力宝也没有话说。停顿了不到10秒钟，阿力宝反应过来，说："不对。我听说了，池莉离婚了。说，是不是别人为你们牵线了？是不是那个杜老师牵的线？是不是？"

天涯常客知道阿力宝霸道，但没想到她能霸道到这个程度。说实话，他真想狠狠地回敬她："是，怎么样？你不要我了，还不允许我找别人吗？"但是，天涯常客没有这么说，或者说了，但只是在心里这么说，而没敢说出口来。一方面是习惯了，这么多年已经被阿力宝调教出来了，乖了；另一方面，想着既然如此，更应该赶快离婚为好，小不忍则乱大谋，反正已经忍了这么多年了，再忍一次也无妨，还是息事宁人为上策。于是，赌咒发誓，说绝没有的事情，并且举出女球迷喜欢贝克汉姆的例子，说"喜欢"和"喜欢"是不一样的。说完之后，他自己都糊涂了，"喜欢"和"喜欢"怎么不一样呢？尽管如此，但效果还是显示出来了，因为，阿力宝还真平息下来了。

阿力宝平息下去之后，天涯常客又自作多情地担心，今天晚上在火车上，会不会梦见"贝克汉姆"呢？

天涯常客的担心是多余的，因为那天晚上他根本就没有在火车上睡觉。

尽管路上发生了一点小波折，但由于是在行进中发生的，所以并没有影响办手续的速度。事实上，手续非常简单，简单到只要几分钟就搞定了。因此，办完手续之后，竟然还是上午。这么早，该干什么呢？阿力宝的休闲中心天涯常客是不想去了，不是在乎那28块钱，主要是想着既然两人已经离婚了，还去算什么呢？但现在离下午95次特快的时间实在太长了一点。天涯常客想着最好的去处是去《香草》编辑部，去看看杜老师，也看看钱鹏喜和张德华。但刚刚冒出这个念头，马上就想到了"贝克汉姆"，因为《香草》编辑部和她的办公室就在一个楼里，既然去看杜老师了，那么要不要去看陈书记？要不要去看"贝克汉姆"？这么一想，马上就当机立断，决定立刻离开武汉。于是，仍然和阿力宝一起拦了一辆的士，告诉司机去武昌火车站，走二桥。走二桥的目的是为了经过武昌新区，这样可以顺便把阿力宝送回休闲中心，他自己则继续向前。

天涯常客赶到武昌火车站还没到中午。这次没有麻烦车站警察或乘警，而是随便上了一列南下的快车。大白天的，反正也不用睡觉，不如就这么坐到广州，省钱，还能体验生活，连卧铺都不用买了。

回到深圳之后，天涯常客马上就用自己的座机给阿力宝打电话，故意让她知道，他已经到家了，让她放心。仿佛是刻意要证明什么。证明什么呢？都离婚了，怎么还那么怕她？还那么在乎她的感受？

放下电话，紧接着又给《香草》的杜老师打电话，告诉他已经离婚了，刚刚从武汉回来。

"你来武汉了？"杜老师问。

"是啊，"天涯常客说，"不回武汉怎么办理离婚？"

"来武汉你都不告诉我？"杜老师又问。

"来去匆匆。"天涯常客说。

"那也不能连个电话都不打呀。"杜老师还是不懂。

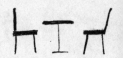

天涯常客只好实话实说，至少是部分实话实说。

"我不想把你扯进来，"天涯常客说，"阿力宝这个人你知道，难缠，如果我要是去见你，或者是给你打电话，让你知道我们离婚，搞得像是你支持我似的，不好。"

"那没关系。"杜老师说。

"是没关系，"天涯常客说，"何必呢？我还是想把离婚完全限定在我和阿力宝之间，连我家里人都没有说。"

天涯常客这样一说，杜老师还真信了，甚至还对别人说，天涯常客其实是个心很细的人，考虑问题很周到。

离婚之后，天涯常客按计划约娃娃头出来喝了一次早茶，把情况和意思明确地对娃娃头说了。说得很真切。说到伤心的地方，眼眶竟然湿润了。娃娃头也比较动情，说："既然你真的离婚了，那么我真的要认真考虑一下这个问题了。"天涯常客问要考虑多久？娃娃头愣了一下，大约是没有想到天涯常客竟然会这样问，愣了一小会儿之后，说："两天吧，两天。"

说实话，天涯常客能这样逼问娃娃头就表明他已经不抱什么希望了。他感觉娃娃头其实并不想跟他好，但又不想太驳他面子，所以只是说"考虑"，因为根据天涯常客对大老板或大领导的了解，他们说"考虑"往往就是一种含蓄的推辞，或者说是搪塞。所以，天涯常客相信，两天之后，娃娃头不可能主动给他打电话，答复考虑的结果，如果天涯常客主动把电话打过去，她肯定会说："哎呀，这两天太忙了，我还没有考虑好呢。"如果天涯常客再逼问她，逼问急了，没准她就说："你要是这么急，我看还是算了吧，不要耽误你的时间了。"所以，天涯常客想好了，假如过两天娃娃头没有主动打电话来，那么他也就不主动打电话去，而是再过两天，再过两天他才主动打电话过去，看她怎么说。如果她说还没有考虑好，那么天涯常客就不逼她，而是说没关系，你继续考虑吧。

　　旧的牵挂已经成为过去,新的牵挂还没有来,天涯常客开始新的创作。他发现,只有当他进入一种创作状态的时候,他才是个"人",并且他还把这个发现加以推广,推广成普遍真理,说:人只有处在最适合他的工作状态的时候,才是最美的。比如乒乓球运动员邓亚平,只有当她投入比赛的时候,特别是投入争夺世界冠军的重大比赛的时候,才最美。天涯常客现在就最美了,因为他现在已经进入创作状态,创作他一直想写而没有写的长篇小说《有罪释放》。小说是写河北农民企业家孙大午的。大午集团要发展,却贷不到款,于是,孙大午就向企业职工和当地乡亲们借款,结果,钱是借到了,人却被抓起来了,因为他犯了非法集资罪。但孙大午事件太遭人同情了,甚至引起了一场大争论,认为法律设定非法集资罪的目的是惩治金融诈骗行为,而孙大午是为了企业发展,甚至是为了办教育,造福一方才向公司职工和当地乡亲借钱的,性质完全不同,所以不该给孙大午定罪。但是,既然人已经抓了,不定罪怎么行?不定罪,那就说明抓错了,而抓错了是要赔偿的,就会给国家造成损失,就要有人来承担责任,而像这样闹得满城风雨的事情,谁承担责任是要下台的,所以,必须定罪。最后,结果只能有一个,既要定罪,又要释放,"有罪释放",事件本身就很搞笑。所以,释放之后,孙大午成了英雄,连凤凰卫视都专门做了一期名人访谈。天涯常客一直想以此为线索,写一部长篇小说,但是却一直没有动笔,主要是他没有找到合适的描写方式。他不想写成报告文学,担心写成报告文学不好看,而且说不定还要吃官司,想真人真事地写,所以写不了。这次去武汉离婚,回来的时候是大白天,没有买卧铺,是坐着到广州的,一路奔驰一路瞎想,居然一下子开窍了。想着完全可以用影视当中卡通人物和真人演员同时出现的手法来写。具体地说,就是以虚构的人物和故事为主线,然后通过虚构人物对真实事物的关注来真实描写整个事件。天涯常客还进一步构思好了,把人物虚构成孙大午的战

友，所以他非常关注孙大午事件，一直关注着事态的发展，如此，就可以间接地把孙大午事件真实地展现给读者了。

这种想法让天涯常客很激动，他为这种想法起了一个名字，叫"卡基姆"，就是卡通人物和真人演员同时出现的意思。这时候，天涯常客已经写完20部长篇了，正式出版的也已经10多部，但真正用自己创新的手法写小说还是第一次，所以，他想把它写成精品，最好能发表在《收获》上，然后由人民文学出版社出版。天涯常客相信自己的实力，他甚至认为只有他才能把孙大午事件写好，因为他学过法律，也懂得金融。事实上，他的处女作就被称为"金融小说"。在写小说之前，还与一个银行行长合作完成了一部金融著作《资本委托管理制度》，并于2000年由广东经济出版社出版，所以，他认为自己一定能写好《有罪释放》。

大约是信心足的缘故，《有罪释放》开局顺利，头两天就把序和第一章的第一节完成了。天涯常客知道，好的开局是好小说的一半，所以，他可以说是已经完成一半了。然而，也仅仅是过了两天，娃娃头的一个电话，把他的计划全部打乱了。

第十二章　美好憧憬

娃娃头来电话让天涯常客很意外。虽然两天前娃娃头说让她考虑两天，但天涯常客认为那不过是一个托辞，两天之后根本就不会主动打电话来，所以，接到娃娃头主动打来的电话，天涯常客非常意外。等听完电话内容，更加意外。

"我考虑好了，"娃娃头说，"我们可以相处，作为男女朋友相处，向成为夫妻的方向努力。"

天涯常客说不出话来。紧张得说不出话，激动得说不出话，也意外得说不出话。

"你不用紧张，"娃娃头继续说，"也不要拘谨。我是你女朋友了，你要向对待女朋友一样地对待我。"

天涯常客努力让自己镇静了一下，想着如果按照娃娃头的说法，不把她看成是自己的老板，甚至不是把她看成是自己过去的老板，而只是把她看成是自己的女朋友，该怎样？如果那样，天涯常客想，那么我现在

第一个想法就是要见她，见面之后，抱住她，亲她的圆脸。如果有可能，甚至亲她的圆屁股。一想到娃娃头的圆屁股，天涯常客的激动就上升到一个新的层次，就把娃娃头想象成了女人，准确地说是小女孩，是"娃娃头"，而不是什么大老板了。

"好！"天涯常客说，"我想见你。现在。"

"现在不行，我马上要开会。过两天吧，过两天我有时间了，给你打电话。"娃娃头说。

在此后的两天里，天涯常客几乎一个字没有写。九月半的论断失灵了。天涯常客并不是像九月半说的那样，总是能把喜悦和悲伤都能化成创作的动力。或许九月半的论断没有错，但是需要修正，就像牛顿定律没有错，但也只能在一定条件下适用，超出一定的条件，比如到了微观粒子世界，就要修正，甚至需要用新的理论来替代，比如用爱因斯坦的理论来替代一样。现在九月半关于天涯常客文学创作能力的论断亦如此，只能适用于一般的喜悦或悲伤，如果遇上大喜或大悲，就不适用了。比如现在，天涯常客就遇上了大喜，就像范进中举那样的大喜，所以，这种喜悦就不能成为创作的动力了，相反，倒成了一种阻力，一种阻止天涯常客按计划创作的力。

其实说天涯常客这两天沉浸在大喜之中也不确切，严格地讲，他是沉浸在遐想当中。遐想着如果娃娃头成为他的老婆了，他该怎样。想象中的第一步是他可以仔细观察娃娃头的圆屁股了。不仅可以隔着裤子观察，还可以脱了裤子观察；不仅可以背面观察，还可以侧面观察，甚至是从各个角度观察；不仅可以观察她睡的时候的样子，还可以观察她站的时候的样子，以及各种可以做出的姿势的样子；不仅可以看，还可以摸；不仅可以摸，还可以……这么想着，还能写小说吗？

当然，除了性之外，天涯常客也想到了日常生活，并且想得具体。天涯常客知道娃娃头在银湖有别墅,而且不止一栋别墅,如果他们结婚了,那么天涯常客肯定是不能住在现在这个地方了,而是要搬过去跟娃娃头一起住,不在一起住,算什么夫妻呢？而如果跟她一起住,那么现在这个房子怎么办？是出租,还是保留着做自己的工作室？仔细一想,出租和做工作室似乎都不合适。首先说出租,既然跟娃娃头结婚了,那么还在乎这一个月千把块钱的租金吗？再说做工作室,既然都住别墅了,楼上楼下那么多房间空着,还要在外面搞一个工作室吗？想到最后,最好的办法正是他在澳一网上预言的那样,如果他发达了,搬走了,那么最好的处理方式是把目前的这个居家兼工作室的房子贡献出来,贡献给有志在深圳写作却又不得不租房子住的自由作家,比如像叶小舟那样很执著很安静又很清苦的作家,让他们在这里居住和写作。当然,他首先想到的还不是叶小舟,而是他的好朋友九月半,但九月半有自己的领地,31区,并打算把31区打造成一个创造文学奇迹的品牌,所以,九月半不可能放弃31区来他的方卉园,所以天涯常客只能退而求其次,想到给叶小舟他们。这么想着,天涯常客就觉得自己很高尚,并且马上就联想到他经常说的一段"名言"——既然天下没有白占的便宜,那么也就没有白吃的亏。比如现在,他把房子提供给其他自由作家,当然,所谓"自由作家"也就是没有工作和其他收入的作家,也就是天涯常客自己所说的深圳"新三无人员",天涯常客当然也就不能收他们的钱,那么,表面上看天涯常客是吃亏了,但是,他得到了"高尚",起码是自我感觉"高尚",而当一个人自我感觉"高尚"的时候,他就已经得到很多了。再一想,除了"高尚"这种属于精神领域的财富之外,还有属于物质领域的实惠。比如,可以保留"方卉园"这块品牌,就像九月半幻想着能把31区变为一个品牌一样,天涯常客也幻想着他的方卉园成为一个品牌,而且,通讯地址也不用变了,他会经常回到这里来看望自由作家朋友们,顺便把自己的稿费和印刷品取走。甚至,为

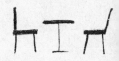

了更高尚,走的时候稿费可以留下,留给叶小舟他们。

　　这么遐想着,天涯常客就更加激动,甚至比想到他和娃娃头之间的性活动还要激动。

　　叶小舟是个非常有骨气的作家。他本来是有工作的。在公安分局做人民调解员,叶小舟非常喜欢这份工作。因为这份工作让他了解到现实生活中的许多矛盾和冲突。这些矛盾和冲突为他的文学创作提供了丰富的创作素材。可是,去年他却毅然辞去了这份工作。既然是自己喜欢的工作,为什么要主动辞职呢?原来,从去年开始,公安分局把他们这个部门承包给一家律师事务所了。

　　"这不是荒唐透顶吗?"叶小舟气愤地说,"本来人民调解员的工作是化解社会矛盾的,大事化小,小事化了,有利于社会安定并节约司法成本。但承包给律师事务所之后,情况完全颠倒过来了。他们的宗旨是挑动、鼓励当事人打官司,所以尽量把事情闹大,闹到非走司法程序不可。因为只有这样,他们才能有案子做,才能赚律师费。"

　　天涯常客是学过法律的。下海之前作为将要到外资企业谋职的准备,专门学习过法律,所以,叶小舟说的这些他懂。正因为懂,他才非常敬重叶小舟。想着自己一旦和娃娃头结婚,就把现在的房子免费提供给叶小舟他们住。

　　天涯常客还进一步想到了文学本身。想着如果跟娃娃头成为了夫妻,那么对他的文学创作也是有好处的。首先,他可以不用为钱而写作了,或者说,可以完全不考虑钱了。完全不考虑钱的写作是一种什么样的写作呢?天涯常客不知道。天涯常客现在写作的时候还想到出版或发表,想到稿费和版税,甚至还要担心发行量和盗版问题,天涯常客自嘲地称为这种写作其实是"势利写作",如果完全不想这些东西,不搞所谓的"势利写作",是不是更好一些呢?精力是不是可以更集中一点呢?其次还有知名度。天涯常客在乎知名度，他甚至发现几乎所有的作家都渴望知名度，有些人表面上说是淡泊名利，其实在大多数情况下，这种"淡泊"正是为了获得更大名利的一种手段；或者有些人是实在没有办法获得知名度，只好自己说"淡泊"。远的不说，就说最近冒出的那个新疆歌手，刚开始说自己最怕出名，拒绝一切采访，等获得一定的神秘度之后，就反其道而行之，想方设法地抛头露面，连与他不相干的活动都千方百计地挤上去，甚至当众摔了一大跟头也不在乎，爬起来继续挤。天涯常客发现走向影视是迅速提高知名度的最佳途径，但是，他更加知道，作家的作品要想走向影视，是需要特殊机缘的，如果不想被动地等待那或许永远都等待不到的机缘，那么就需要杠杆，这个"杠杆"就是钱，而娃娃头就有钱。事实上，娃娃头曾主动表示过要投资拍摄天涯常客的小说，但当时天涯常客没有在意。天涯常客是当过老板的人，知道中国老板关于投资文化的许诺不比美国政客关于为国民减税的承诺可靠多少，所以，根本就没有接娃娃头的话。但是，现在的情况不一样了。现在如果他们成为夫妻了，那么，完全可以考虑让娃娃头投资成立一个文化公司或干脆直接就是影视公司，自己拍摄自己的作品，准确地说是老婆拍摄老公的作品，不是比被动等待所谓的"机缘"更可靠吗？这样的情况在中国不是没有，就是深圳也不是没有。比如深圳有一个女作家，嫁给海关官员之后，立刻就自费拍摄了电视连续剧，收视率还不错。天涯常客相信自己的实力，相信一旦自己拥有这样的"超级机缘"，就肯定会比那些现在已经走向影视的作家走得更远。这么想着，天涯常客就在爱情和事业之间找到了交叉点，像物理学中的共振现象一样，产生更大的振幅，引起更大的震动，让人更加激动再激动。

但是，两天过去了，娃娃头并没有打来电话。

天涯常客的大脑像局部缺氧一样，迷茫了好一阵。最后，他开始反

省。反省娃娃头并没有错,错在他自己。既然娃娃头已经明确说明他们已经是朋友了,而且是向着婚姻方向发展的男女朋友,并且要求他不要拘谨,不要紧张,要像对待自己的女朋友一样对待她,那么,这两天里自己为什么不主动给她打电话? 不主动给她打电话,就说明自己没有领会娃娃头那番话的精神实质。娃娃头那样说,包括这样做,说不定就是对他的考验,考验他的悟性,考验他对她爱的程度,还考验他的胆量。既然已经明确是男女朋友了,女方没有主动打电话来,男方就不主动打电话去? 也太没有男子汉的气魄了吧? 天涯常客甚至举一反三,进一步反省,反省自己之所以没有能够成为真正意义上的大老板, 根本原因就是缺少胆量,以前他只知道自己在投资问题上缺少胆量,不敢冒险,害怕失败,患得患失,没能早一点从外资企业出来自己创业,在最佳的时机失去了许多最好的发展机会。现在他又有新发现,发现自己在感情和婚姻问题上其实也缺少胆量,不敢冒险。娃娃头说没有时间就没有时间呀? 开会? 开会怎么了? 既然公司是娃娃头的私营企业,而且自己也给她当过总经理,现在两人又是男女朋友了,开会我也可以列席参加嘛。即便有分寸一点,不列席参加,起码可以坐在外面等着她吧? 等她开会出来,接她去吃宵夜,或直接送她回家,总可以吧? 这样做总该是男朋友的权利和义务吧?

知错就改,天涯常客立刻给娃娃头打电话,约她。天涯常客已经想好了,如果娃娃头说在工地,那么天涯常客就打算赶到工地;如果娃娃头说她在开会,那么天涯常客就打算立刻赶到公司,列席会议,或者不列席会议,也要坐在会议室门口等。不,不是坐在会议室门口等,而是坐在她办公室里面等,就坐在娃娃头曾经趴在上面睡午觉的那个沙发上等。天涯常客知道,散会之后,娃娃头肯定要回她自己的办公室,即便是为了方便一下也要回办公室。因为在公司的时候,娃娃头从来不去公共厕所方便,因为她是公司的皇帝,是女皇,女皇需要方便,那也是"御便",当然不能

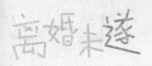

与打工的一并处理。所以，娃娃头要方便，肯定是回她自己的办公室，在她自己的那个小套间里面的小卫生间里方便。

"嗨，是我，天涯常客。"天涯常客说。故意说得异常轻松，神采飞扬。幸亏九月半和叶小舟不在，如果在，他们又要笑话他故作潇洒了。

"啊，好，这样，我正在忙，过一会儿我给你打过去。"娃娃头说。说完，立刻就把电话挂了。

天涯常客的大脑这次倒没有缺氧，所以没有表现出茫然，而是非常清楚，清楚地认识到他现在既不能去工地，也不能去公司，因为他根本就不知道娃娃头现在到底是在工地还是在公司。从她说话的语气和声音背景判断，娃娃头似乎还不在深圳，而是在外地，在外地的一个什么地方跟什么重要的人物谈重要的问题，所以，天涯常客即便一下子胆子大了，豁出去了，敢去了，都不知道该往哪里去。既然都不知道往哪里去，怎么去？

天涯常客现在很想找一个人说说，或者是找一个人咨询一下，问问在这样的情况下，他该怎么办。但是，这样的事情，该找谁商量呢？

天涯常客把自己的朋友检索了一遍，发现不能找九月半和叶小舟，也不能找王主席或程部长，而只能找张正中。

天涯常客喜欢交朋友。在深圳，天涯常客有三圈朋友。一圈是九月半、叶小舟、烟头、右手、八分斋这样的朋友，准确地说是他现在作为自由作家这个圈子里的朋友。另一圈是王主席、程部长还有李书记这样的朋友，准确地说是在党政机关担任一定领导职务的朋友，最后还有张正中、娃娃头、陈小强、徐才江这样的朋友，也就是当初自己做企业时候的朋友。天涯常客懂得待友之道，知道不同圈子的朋友一般情况下不能把他们扯在一起，这就叫人以群分。现在他是为娃娃头的事情找人商量，当然不能找自由作家圈子或党政官员的圈子里的朋友商量，而只能在当初老板圈子里面找，这样一找，就找到了张正中。

关于张正中，前面已经提到过，就是天涯常客把社保关系从娃娃头的公司里迁出来之后放到他那里的那个张正中。关于天涯常客和张正中的关系，这里也就不用介绍了，介绍起来太复杂，有灌水的嫌疑。简单地说，张正中就是《外企经理》当中的那个张启镛。当初《外企经理》出版后，张正中去北京参加财富年会，在亮马河饭店，一个比他更大的老板对他说到这本书，说做老板的都应当看看这本书，因为这本书表面上是写外企经理的，其实是写老板的，起码是写老板与经理人之间关系的，所以当老板的都应该去看看，并且问张正中：那里面的张启镛是不是你？张正中当时还没有看到这本书，所以没有立刻答复，只能含糊其辞地应付过去，回来之后，让秘书把书买来，一看，发现果然是写他自己的，并且知道老朋友天涯常客居然摇身一变成作家了，于是，打电话给天涯常客，半真半假地说："我要跟你打官司。"天涯常客一听，高兴了，说："太感谢了！你已经进入中国福布斯排行榜了，如果你跟我打官司，我想不出名都不行了。"说得张正中哭笑不得。

天涯常客这时候给张正中打电话。是秘书台。天涯常客留言，非常简单："天涯常客，本机。"不一会儿，张正中把电话打了回来。

两人先是相互吹捧，并且捧得有水平。所谓有水平，就不是"干捧"，而是"湿捧"，捧得非常具体。

天涯常客说，前两天一个朋友想贷款，请民生银行深圳分行信贷部马总吃饭，硬是喊天涯常客作陪。席间，马总说，贷款没问题，需要担保，如果是其他单位担保，比如深圳市中小企业担保公司担保，信贷额度一笔最多一千万，如果你们有本事找到张正中的担保公司担保，一次可以给三千万。于是，天涯常客就对张正中说："你牛了。"

张正中则说，前两个礼拜参加政协常委会，某领导拉住他，问他是不是认识天涯常客。张正中以为天涯常客犯了什么事，所以不敢说认识还是不认识。领导说你要是认识他就好了,可以让他写写你,写一本《中科智的智慧》,就像《联想想什么》一样。并介绍说天涯常客是专门写老板的,如果需要,这位领导可以帮张正中引见。于是,张正中就对天涯常客说:我见你得通过领导引见了。

吹捧够了,天涯常客把心中的苦说了。

张正中听了,先是一顿笑,然后是祝贺,最后是提出要求,要求等他们结婚的时候,证婚人非他莫属。

天涯常客想都没想就先答应了再说,然后迫不及待地问他现在到底该怎么办?

"好办,"张正中说,"发手机短信呀。"

天涯常客一听,嗨,我怎么没想起来呢!于是,不再多话,赶紧说谢谢,把电话一撂,就忙着给娃娃头发短信。

第十三章 没时间见面的"未婚妻"

　　天涯常客认为张正中事业成功是必然的,除了特殊的机遇之外,还与他内在的素质有关,要不然,同样的机遇,为什么张正中能成为大老板,而天涯常客就破产? 这些内在素质主要包括敢于承担风险的精神和聪明才智。敢于承担风险的精神就不用说了,天涯常客肯定是不具备的,就说聪明才智,天涯常客承认他也不如张正中。现在天涯常客按照张正中的提示,给娃娃头发短信,才发现这个建议就充满聪明才智。首先,它不要求娃娃头有时间。不管她是在开会还是在工地,也不管她是在深圳还是在外地,即便她在飞机上,手机是关着的,也没有关系,等她下了飞机,打开手机,短信也会自动弹出来。所以,发短信不受时间的限制,而他和娃娃头之间,现在最大的障碍不就是没有时间吗? 包括两人没有见面的时间,甚至没有打电话和接电话的时间。其次,发短信还能让人胆量陡增,对于天涯常客来说,胆量就是"木桶原理"当中最短的那一块木板,接长了,可以提高他的整体品质。如果不是发短信,而是当面说,或者是在电

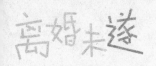

话里面说,好多话天涯常客是说不出口的,但是在短信中,天涯常客就能说出口。

天涯常客给娃娃头发送的第一则短信是:我想你!

用"想"而不用"爱",天涯常客是经过推敲的。"想"其实就包含着"爱",如果不爱,怎么会"想"呢? 但用"想"显然比"爱"更准确,也更含蓄。天涯常客是中国人,是中国的文人,当然知道含蓄也是一种美,而且是大美,就跟大雅一样。如果上来就用"爱",肉麻,也跟自己的年龄和身份不符,难免让人想到轻狂。再说,娃娃头现在虽然说她跟天涯常客是朋友了,并且是朝着婚姻方向发展的男女朋友,但感情的事情靠说不行,还要做,现在他们还没有做,不仅身体没有做,嘴巴没有做,就是手也没有做,也就是说,到目前为止,他们连手都没有拉一下,在这种情况下,上来就说"爱",不是显得太轻浮吗?

"我想你"发出去之后,天涯常客的心就悬起来。默默计算着此刻短信是不是发送到她手机上了,娃娃头是不是已经看了,看了以后怎么想了,想了以后怎么做了。在天涯常客算计着娃娃头应该回复短信的时间到了之后,眼睛盯着自己的手机,等它骤然响起,而一想到它响起,天涯常客的心跳也就提速。可惜,天涯常客的手机并没有响起,天涯常客的心跳只好由急促到舒缓,最后终于趋于平静。

或许并没有发出去?或者发出去了,但是她那边没有收到?还有就是发出去了,并且也收到了,但是此时的娃娃头正在忙,忙得不可开交,所以并没有时间看?甚至是看了,但是却没有时间回复?这样的情况也是常有的。不要说是娃娃头这样的大忙人了,就是成天不用上班的天涯常客,不是常常遇到这样的情况吗? 比如自己正好在开车,在北环快车道上开快车,听见自己的手机说话,说"您有新的信息,请查收",他不也是暂时不管它吗?

不管怎么说,再发一遍,再发一遍没有坏处。不就三个字嘛,虽然天涯常客并不熟练,在手机上写三个字的时间可能比电脑上打30个字还要长,但即便是打30个字,不也是举手之劳吗?

天涯常客把"我想你"又发送一遍。这次心跳没有提速,上来就平静。看来,无论做什么事情,真正让人心跳的,就只能是第一次。天涯常客想起天涯网站上有女写手写的"我的第一次",估计说的就是这个意思。

娃娃头仍然没有回音。天涯常客有些烦躁,又想找个人说说。当然,只能再找张正中。就是为了不扩大影响也只能再找张正中,再说,也只有张正中才是他和娃娃头共同的朋友,如果找个其他人,连娃娃头是谁都不知道,跟他怎么说?

想了,但是没有找,一来觉得张正中很忙,为自己的私事老是打扰人家说不过去,二来觉得自己是男子汉,像这样属于个人情感方面的事情,应当深沉一点,不要动不动就找人倾诉,这要是让娃娃头知道了,也不一定会高兴呀。

天涯常客突然有一种遭到冷遇的感觉。

天涯常客是敏感的,或许文人都敏感,所以最容易察觉自己是否遭到了冷遇。

但察觉自己遭到冷遇也不一定是坏事情,至少对天涯常客不一定是坏事情。天涯常客发现自己遭受冷遇之后,立刻就冷静了不少,想着自己尽想美事了,像娃娃头这样年轻漂亮富有的未婚女子,凭什么要嫁给我?上次那个电话,可能是她在非正常状态下打的,比如那天突然感到寂寞了,也感到孤独了,或许是失恋了,比如喜欢上一个像张正中那样的大老板而大老板并没有喜欢她,或者是大老板也喜欢她但大老板有老婆了,于是,她就感到了失落,就想起天涯常客对她的表白,想起天涯常客这个人虽然不富有,但还蛮有品位,加上是个有点成就的作家,听上去不错,于是,一激动,就打了那个电话,或许打过之后,就后悔了,但又不好意思说,于是就采用冷处理技术,故意冷淡天涯常客,冷到天涯常客自己觉悟了,自动放弃为止。

这时候,天涯常客在问自己,如果真是这样,会怎么样呢?

天涯常客又上网。他现在对网络似乎产生了一种依赖,每当他感到不顺心的时候,或者有什么烦恼的时候,甚至是有什么事情拿不定主意的时候,就想上网。

还是上澳一网。刚一打开,左上角的黄色小信封就一闪一闪的,告诉他有人留言了。天涯常客一阵兴奋,就跟许多年之前在建设兵团的时候接到几个姐姐之一的来信一样。现在已经很少有人写信了,那种接到亲人来信的感觉早已成为过去的过去,但人性中渴望交流和关爱的本性并没有完全退化,所以,现在见到有人给自己留言,天涯常客还是很高兴,暂时忘却了遭遇娃娃头冷遇的不愉快。

打开留言,一看是江南春雪的,兴奋度又陡增数倍。天涯常客这才记起,上次从武汉回来后,也是因为遭遇娃娃头的冷落,想上澳一网找九月半,结果九月半没有找到,叶小舟也没有找到,却发现了这个江南春雪的散文,并且由她的散文联想到她的美貌,于是,又调出对方的资料,看清楚"女性、未婚"之后,就认定江南春雪是位江南美女,甚至把她想象成自己的未婚妻,起码是可能的未婚妻,一激动,把她的文章全部搜索出来,看也不用细看,跟在后面就猛一阵宣泄。当然,宣泄的全是好话,就差没有夸她是当代中国第一才女了。没想到当初的信口胡扯今天有了回报,好比去年随口吐在地上的西瓜籽今年竟然长出瓜藤并结出一个硕大的西瓜一般,意外的惊喜是不言而喻的。

好感是互相的,男人和男人之间是这样,男人和女人之间也如此。江南春雪给天涯常客的留言当然是说好话,好听的话。很温馨!天涯常客现

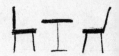

在缺少温馨,也需要温馨,所以就特别能感受温馨。

江南春雪说她认真看了天涯常客的跟帖,收益匪浅。这话天涯常客相信,凡是跟帖说赞美话的,作者都会收益匪浅,起码心情上收益匪浅了。

江南春雪说她也看了天涯常客的文章了。这话天涯常客也信,根据他自己的经验,当他的文章被某一个人一篇不漏地顶上来的时候,他肯定也会调出对方的文章看一看。

江南春雪还说天涯常客的小说很好,非常好,比她的还好。这话天涯常客更信,因为天涯常客贴在网上的小说都是在文学杂志上发表过的,有些甚至是被多家选刊转载过的,不仅经过了杂志社的三级筛选,还经过选刊的更严格挑剔,应当是不错的,起码比江南春雪的那些散文要强一些。

江南春雪又说到她还专门跑到书店买了他的书,并且具体地说是买了什么什么书。说天涯常客的书很好读,她是一口气读完的,而且说如今已经很难买到这样能一口气读完的小说了。江南春雪这样一说,天涯常客就发觉自己遇到知音了,因为天涯常客一贯认为,小说是给人看的,所以,评价小说好坏的第一标准和评价女人的标准一致,就是好看还是不好看,虽然好看的小说不一定是好小说,好比好看的女人不一定是好女人一样,但是,不好看的小说肯定不是好小说,好比不好看的女人肯定不能让天涯常客动心一样。天涯常客的这个观点曾经遭到大多数人的反对,包括他的好朋友九月半。九月半说得比较含蓄,说一些获得诺贝尔文学奖的小说就并不好看,并且举出一二三。天涯常客坚持自己的观点,说如果那样,那么获得诺贝尔文学奖的小说也就不一定都是好小说,至少,他们被翻译成中文之后变成不好的小说了。天涯常客这样坚持自己的观点,其他人当然就不再与他争论了,再争论下去就是吵架了。今天,这个与他并没有见过面的江南美女说"如今已经很难买到这样能一口气读完

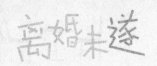

的小说了",当然包含两层意思,一是说天涯常客的小说非常好,二是说这样的好小说现在非常少,因此,可以衍生为天涯常客的小说是如今非常难得的好小说了,离"最好的小说"相差无几,于是,天涯常客激动了,激动得恨不能立刻与对方见面。

立刻见面当然是不可能的。网络世界是虚拟世界,里面真真假假虚虚实实,就说这个江南春雪,到底是不是像天涯常客想象得那么漂亮暂且不说,就是她到底是不是"女性、未婚"都不能保证,这时候如果贸然见面,万一对方是一个满脸络腮胡子的老头子,不是笑话吗?天涯常客到底不年轻了,尽管冲动,但还不至于冲动到这个程度,起码,他要核实对方是男是女,然后才决定见面还是不见面。再说,就是现在想见面,去哪里见呢?连对方在哪里都不知道,怎么见面?所以,无论如何,得先交往,在网上交往,然后由网上交往发展到电话交往,等在电话里面确认是女性了,并且是个声音甜美且能谈得来的女性了,才考虑问清楚对方地址并约定见面。

虽不能立刻见面,但发消息还是可以的。事实上,也只能发消息,因为天涯常客连对方的电话号码都不知道。

天涯常客立刻在澳一网上回复留言,说看了江南春雪的留言很高兴,说其实他的文笔不如对方,如果对方也写小说,说不定比她写得还要好。

天涯常客难得这么谦虚,所以,偶然谦虚一下,蛮感人。

留言发出去之后,并没有回应。天涯常客查看了一下在线名单,并没有见到"江南春雪",想着这个江南春雪肯定与他一样,不一定天天上网的,自己上次跟帖之后,不也是过了这么多天才上来吗?搞得江南春雪发了四个留言才回复。这么想着,天涯常客就又找到了兴奋点,觉得自己也应该回复四个留言才合理,也应当给对方一点惊喜,于是,继续写留言。

天涯常客在留言中说:"既然你这么喜欢我的小说,那么,我干脆送

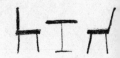

两本小说给你吧。"于是顺理成章地向对方索要邮政地址。

第三个留言天涯常客说自己出了不少小说，但不可能全部奉送，于是，问江南春雪喜欢他的哪一部小说。为了让江南春雪能说出是哪一部，天涯常客又"顺理成章"地把自己已经出版或即将出版的近20部小说全部列上，供江南春雪"选择"。留言发上去之后，又担心，担心万一江南春雪选择的恰好是即将出版但还没有出版的小说，该怎么办？也没有关系，天涯常客自我安慰地想，随便找个理由拖几天，拖到小说正式出版了再寄去也没有关系。

自我安慰后，天涯常客甚至为自己的留言得意了一番，既表达了自己对对方的美意，又巧妙地炫耀了自己的成就，一举两得。

按照对等的原则，天涯常客也打算写四个留言，但第四个留言怎么写，遇到了难题，主要是已经说过的话不能再说一遍，已经表达过的意思也不便再表达一遍，否则，不是显得自己已经老了吗？因为据说只有老人才重复诉说自己已经说过的话。为了不让自己显得老，还必须找出新话题来。最后，通过冥思苦想，天涯常客还终于找到了新鲜但又不是废话的留言。

虽然想了很久，但写出来的却像是偶然想起来的。

"欢迎你来深圳，这是我的电话号码。哎呀，对了，你的电话号码是多少？方便告诉我吗？"

四个留言发出去之后，天涯常客开始了漫长的等待。

第十四章 实现理想婚姻的关键靠自己

等待也就是期待,期待就是有希望,有希望的人就不会绝望。应该说,江南春雪在那段时间里给予了天涯常客很大的希望,以至于虽然他遭到了娃娃头的冷遇,天涯常客居然还能安心写作,继续写《有罪释放》。

《有罪释放》的主线是皖南农民企业家胡孝儒。2003年5月27日,胡孝儒一早起来就感觉要出事,但又实在想象不出能出什么事。是收购工人疗养院的事情出事? 还是参与318国道改造的事情出事? 最后,在助手姚根寿的提示下,竟然想到是不是儿子胡继贤在澳大利亚出事呢? 正想着,电话响了。果然是一个陌生但又耳熟的年轻人打来的。难道是儿子的同学? 胡孝儒感到天塌下来了。然而,年轻人并不是胡继贤的同学,而是孙大午的儿子孙萌。孙萌告诉胡叔叔,他爸爸被抓起来了。直到此时,胡孝儒的不祥预感终于得到灵验。小说也由此展开。为了让故事生动,小说还专门安排胡孝儒专程去了徐水一趟,是带着自己的法律顾问一起前往的,而法律顾问吴菁菁是个女孩,是个看上去蛮开放的女孩,因此,故事

丰富了。小说的最后，是新任县长范小青知道了胡孝儒与孙大午的关系，主动要求胡孝儒帮她联系孙大午，目的是要借孙大午的知名度组建一个专门为农村民营企业解决贷款难的融资担保公司。范县长雄心勃勃，胡孝儒却有苦说不出。因为，自从孙大午有罪释放之后，居然一个电话也没有给他的老战友胡孝儒打来，而胡孝儒也是大企业家，皖南人的脾气是不拿冷脸碰人家热屁股，在这种情况下，他不好意思主动联系孙大午。胡孝儒的助手姚根寿觉得孙大午不够意思，其实是冤枉了他，孙大午是真实的人物，他怎么可能主动与天涯常客小说中虚构的人物主动联系呢？

天涯常客为自己的构思激动，所以写起来容易上手。事实上，天涯常客写哪部小说的时候都容易上手，因为他写小说的时候都比较激动，不激动他不会写。著名文学理论家胡经之教授曾让他的博士生黄玉蓉采访过天涯常客，黄玉蓉问天涯常客："你写小说列提纲吗？"天涯常客当时非常想说列提纲，因为如果说列提纲，就显得正规一些，起码对学院派来说可能更认同一些，但他还是对黄玉蓉说了实话，说不列提纲。事实上，天涯常客以前在写科技论文和著作的时候是列提纲的，准确地说是列目录，列目录当然也可以理解是列提纲，起码是"提纲中的提纲"，相当于提纲的二次方，也应该算"列提纲"。但是，他写小说不列提纲，只是构思，并且是反复构思，等他被自己构思的故事撩拨得激动了，他就开始写，而且往往是一气呵成，就像他在长篇小说《从坡坡屋出来的女人》后记当中说的那样，"小说有气，一气呵成的气，如果没有气，小说就不是写出来的，而是硬造出来的。我不喜欢硬造出来的东西，喜欢一气呵成。自然，流畅，舒坦。"天涯常客因此就"发明"了自己的"文学理论"——写小说主要靠激情，没有激情，是写不出好小说的。天涯常客还为自己的"理论"找到了论据，不是以他自己为论据，因为他自己作为论据只能是正向论据，要想证明一个"理论",还必须有反向论据。天涯常客的反向论据是,著名大学的文学学士、硕士甚至是博士,绝大多数并不能成为作家,要说文学理论,他们不懂吗?肯定懂,起码比天涯常客懂,比九月半和叶小舟懂。难道他们不爱好文学吗?肯定爱好,如果不爱好,干吗报考这个专业?要是不爱好,怎么能学得好?既然懂,并且爱好,为什么还不能成为作家呢?天涯常客认为,主要是没有激情,没有一种被自己构思的故事煽动起来的激情和冲动,所以就写不出来。即便写出来,也是干巴巴的,没味道。因此,天涯常客的观点与韩少功的观点相反,他坚定地认为,文学创作既是理性的劳动,也是感性的劳动,并且更重要的是感性劳动,而不是像韩少功说的那样主要是理性劳动。理性劳动的成果只有"理趣",而没有"情趣",而小说是供大家娱乐的,不是供人们做理论研究的,所以,小说宁可没有"理趣",也不能没有"情趣"。

天涯常客甚至再次把自己的"理论"推广,推广到一切艺术创作都需要激情,都是感性和理性的共同结果,并且主要是感性的结果。天涯常客的"理论"目前还没有得到文学界的明确认可,但是已经得到音乐界的间接支持,因为《春天的故事》和《走进新时代》的作者蒋开儒就说:"现在人太懂得技巧了,大家都懂,所以,光凭技巧是写不出好东西来的,一定要被什么东西感动了,才能写出好作品。"天涯常客认为蒋开儒的话就是对他"理论"的间接佐证。现在,天涯常客就有激情,就想用小说的形式来表达,所以,他的创作就很容易上手。从理性上说,他想表达在社会转型期,我们的法律法规建设是相对滞后的,因此造成许多荒唐的事情,比如今天合法的事情,明天就违法了,按照这部法规合法的事情,对照那部法规就违法了,从而说明法制建设是何等的迫切何等的重要。从感性上说,他为孙大午鲜明的个性所感动,也被自己"卡基姆"的手法和构思的故事所激动,所以,这部题材沉重的小说竟然被他举重若轻了。

天涯常客在创作《有罪释放》的同时，并没有完全放下娃娃头，事实上，他经常时不时地想起娃娃头，因为毕竟，从理论上说，此时的娃娃头是他的女朋友，并且是朝婚姻方向发展的女朋友，是他理论上的未婚妻。但是，创作的快感让他变得豁达。天涯常客重新审视了自己和娃娃头的关系，以及这种关系未来发展的几种可能性，并且努力让自己接受其中任何一种可能的结果。如果娃娃头这段时间确实是忙，忙得没有时间和他联系，而不是一时冲动才和他成为"朝着婚姻方向发展的女朋友"，比如哪一天他又突然接到娃娃头的电话，电话中说："我们明天结婚吧。"那么当然是好结果，对于这样的结果，天涯常客不需要任何心理准备就能接受。至于另一种可能的结果，就是娃娃头真的就是一时冲动而成为他理论上的"朝着婚姻方向发展的女朋友"，但是现在清醒过来了，后悔了，却又不好意思自己把说出去的话吞回来，只有通过现在这样不断地冷落来摆脱他，那么当然是不好的结果，或者说是天涯常客不愿意看到的结果。现在天涯常客要准备的，就是要有充分的思想准备来接受这样的结果。

有江南春雪这个忽隐忽现的"影子女朋友"垫底，天涯常客竟然也想开了不少。想着作为作家，关键要出作品，不断地出作品，不断地出好作品，甚至是像华裔美国作家哈金最近说的那样出伟大的作品，有朝一日真的成了贾平凹或余秋雨了，还愁找不到老婆吗？而如果自己不努力出好作品，不能成为贾平凹或余秋雨这样的大作家，那么即便碰巧找到了一个像马兰那样的知名美女做老婆，自己能配得上人家吗？能维持长久吗？如果真能维持长久，那要付出多大的代价呀？有多累呀！

天涯常客突然发现问题的根本还是在自己。自己首先要做一个好人，然后才想着去找一个好老婆。如果自己算不上一个好人，即便找到了一个好老婆，也活受罪。

这么想着，天涯常客就把阻力变成了动力，就近乎疯狂地投入到创作当中。

但是，天涯常客没有想到，《有罪释放》还没有完成，他和娃娃头本来就不紧密的关系彻底断了。

天涯常客和娃娃头的关系彻底了断源于一件事，一件大事。

那年秋天，深圳举行国际文化产业博览会，这是一件大事，不仅在深圳是大事，就是在全国，也可以说是一件大事情。

深圳举办文博会，表面上看是一场商业活动，是受成功举办高交会的鼓舞，举办的又一个常设性的大型国际展览会，但是，在天涯常客看来，并不这么简单，它至少还含有另外两层含义。第一，它标志着深圳主导经济的全面转型，由建设特区之初的"三来一补"经济为主逐步转变成以金融、国际贸易、高新技术和文化产业的新"三加一"为主的新经济，而展览业兼顾贸易和文化两业，理所当然属于未来优先发展的主流经济。这种转变一开始可能是被迫的，因为随着整个中国经济全面搞活开放，当初国家赋予深圳的一些特殊优势已经不明显，比如"三来一补"的加工型企业，既可以在深圳搞，也可以在东莞搞，甚至可以跑到长江三角洲搞。所以，深圳必须寻找新的出路，用官方的话说，就是要争创新优势，更上一层楼。但是，随着几年的摸索与实践，现在这种行为已经变成主动行为了，因为实践证明，新"三加一"经济效益更好，更能把主动权掌握在自己手中，更有利于可持续发展，所以，以前被迫的转变已经逐步变成自觉的行动了。第二，深圳文博会的举办还有着深刻的文化内涵。从官方来说，当然与广东要建立文化大省，深圳要"文化立市"的发展战略有关，但是在天涯常客看来，与"文化平反"也脱不了干系，因为深圳曾经一度被人称为"文化沙漠"，要想"平反"，必须矫枉过正，搞得比其他地方更"文化"。比如在文博会之前，深沪两市都搞了"百架钢琴广场音乐会"，由于

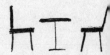

上海搞了一百架钢琴，深圳就硬是搞了两百架钢琴，尽管后来有专家评论说深圳的演奏人员平均水平不一定比上海的演奏者高，但起码数量上占了优势，显得比上海"更文化"，现在，文博会也是"更文化"的又一种新体现。

天涯常客不打算袖手旁观，他想参与。为了亲身体验也要积极参与。天涯常客自封自己是"深圳作家"，是专门写深圳故事的，那么，对这样的大事情，尤其是关乎文化本身的大事情，当然不能放过。谁知道就是因为参加这个文博会，让他跟娃娃头的关系来了一个彻底的了断。

第十五章　她没把他的事情当回事

　　天涯常客想参与文博会，但文博会不是他个人想参与就能参与的。天涯常客的真实身份是"自由作家"，说"自由作家"当然是一种好听的说法，说得难听一点，就是没有正式单位的"失业作家"，怎么参加文博会呢？天涯常客想到了张正中。因为他已经从有关部门打听到，这次文博会尝试新的运作模式，欢迎企业参与，参与运作，也参与受益，而如果张正中的企业参与，那么天涯常客就可以搭便车参与了。

　　天涯常客对张正中说：这里面有巨大的商机。

　　张正中不说话，很平静地看着天涯常客，等着他说。

　　"文化产业是一个非常重要的产业，"天涯常客说，"在美国，文化产业占到整个国民经济的百分之七，而我们中国目前只占到千分之三，这里面有多大的商业空间呀！"

　　天涯常客说到这里有点激动，仿佛这多出来的六七个百分点是他的了，或者是他的老朋友张正中的了。

张正中仍然不为所动，笑，还是那样平等地笑。所谓平等地笑，就是同样得志或同样不得志的老同学之间的那种笑，而不是上级对下级的笑，也不是长辈对晚辈的笑，还不是老板对打工仔的笑。当然，也不是那种老百姓对当官的笑，或当事人对法官的笑，以及报关员对海关官员的笑，更不是歌舞厅小姐对客人的笑。

天涯常客懂得这种笑，并且在看到张正中这样笑之后，他就知道完了，忽悠不成了。

果然，当天涯常客知趣地主动告辞之后，张正中一边说"考虑考虑"，一边坚持把他送到电梯口，而不是像平常那样送到办公室门口。天涯常客知道，这就是彻底"不考虑"的意思。

虽然"不考虑"了，但张正中还是表示了一定程度的关切，关切地问到了王总。

王总就是"娃娃头"，张正中喊她王总。张正中一是问天涯常客跟娃娃头的关系怎么样，最近有没有什么进展。二是问王总对文博会的事情有什么想法。那意思仿佛是给天涯常客一个暗示，如果文博会真像他说的那么好，为什么王总的企业不积极参与呢？或者还有另外一层意思，就是如果王总的公司打算参与了，那么张正中的公司或许就能考虑参与。

天涯常客听懂了张正中的暗示，听懂之后，先是把嘴巴抿紧，摇摇头，然后才把嘴巴张开，说："不怎么样。"

天涯常客说"不怎么样"也有两层含义，一层是说他跟娃娃头的关系不怎么样，另一层是说要娃娃头的公司参与文博会的事情不怎么样，而且是更不怎么样。事实上，天涯常客提都没有跟她提，感觉根本没有提的必要。在天涯常客看来，张正中是有战略眼光的人，而企业参与文博会这种事情，肯定是要从战略角度考虑的，否则，不可能参与，所以，他说都没有跟娃娃头说。

　　然而,天无绝人之路,正当天涯常客以为肯定与首届深圳文博会无缘之后,机会来了。一个在电视台担任频道总监的朋友告诉天涯常客:本次文博会将推出文学作品拍卖活动,包括出版权的拍卖和已经出版的文学作品影视改编权的拍卖,并建议天涯常客把自己的作品拿到拍卖会上拍卖。

　　天涯常客一听,兴奋了半天,感觉这项活动就是专门为他举行的。拍卖改编权,多有创意呀! 不管卖掉还是卖不掉,对著作权人没有任何损失,仿佛这被拍卖的作品成了祭坛上的供品,先给神仙吃一次,然后再给普通人吃,一个供品吃了两次,不好吗? 天涯常客当即表示参加,积极参加。积极参加的标志是把自己已经出版的10多部小说全部送去拍卖。卖出去一本是一本,一本都没有卖出去也不会有任何的损失。

　　大约是兴奋过头的缘故,天涯常客在把自己的作品送出去之后,立刻给娃娃头打了电话,告诉她这个从天上掉下的好消息。不管怎么说,娃娃头现在是自己的女朋友,并且是朝着结婚方向发展的女朋友,算是自己的未婚妻,遇上这么天大的好事情,不告诉自己的未婚妻是说不过去的。

　　娃娃头听了之后,当然也说是好事情,但是并没有认为是天大的好事情,具体表现是没有兴奋。

　　天涯常客敏感,马上问娃娃头是怎么看待这件事情的。

　　娃娃头犹豫了片刻,还是说了。说事情是好事情,但是实际意义不大。

　　天涯常客问怎么实际意义不大。

　　娃娃头说拍卖会的时间那么短,别人连把书看一遍的时间都没有,怎么可能决定掏腰包去买改编权呢?

　　天涯常客一听,头脑立刻一凉,但嘴上不服,说:"要是人家以前看过我的小说呢?"

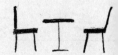

娃娃头笑,笑着说:"如果人家以前就看过你的小说,并且早就想把它改编成电视剧,那么不早就通过出版社找你了吗?干吗要等到拍卖会?难道想多花钱?难道想费周折?难道想出交易费或多交税?"

娃娃头的几个"难道"还真把天涯常客问住了,禁不住反问娃娃头:"那怎么办?"

"也没有什么怎么办,"娃娃头说,"反正你也没有损失,说不定还能引起影视界的关注,拍卖会之后会私下找你呢。"

"不好。"天涯常客说。

"怎么不好?"娃娃头问。

"要是一本都卖不掉,不是太丢人了?"天涯常客不无担心地说。

"一样,"娃娃头说,"你卖不掉,别人也卖不掉,大家一样,有什么丢人不丢人的?"

但是,事态的发展并不像娃娃头说的那样简单。在等待拍卖的日子里,天涯常客高度关注着事态的发展,并且很快就知道,场外交易和私下洽谈已经开始。也就是说,拍卖会上不可能是大家都卖不掉,特别是像梁晓声这样的大作家的作品都来参加拍卖了,谁敢说一部都拍卖不掉?说不定是大家都卖掉了,哪怕是假卖掉了,而只有天涯常客一个人的作品没有卖掉,如果那样,就真丢人了。文人,一没有权二没有钱,不就只剩下一个脸面了吗?

随着拍卖日期的临近,天涯常客越来越紧张,他甚至想把已经送去的作品再收回来,把已经签定的委托合同再撕毁。但是,这样的机会肯定已经不存在了,因为关于天涯常客10多部作品送交拍卖的事情,媒体上已经广泛宣传,闹得满城风雨了,这时候再提出不参加拍卖了,不是丢他一个人脸面的问题,可能连大家的脸面都要丢。

媒体广泛报道天涯常客参加拍卖的事情可能有两个原因,一个是他最突出,一下子拍卖10多部长篇新作的影视改编权,至少从数量上说,在所有的参拍者当中最突出;二是因为他是为数不多的深圳作家,按照近水楼台原理,就好比是奥运会期间当地媒体更加关注主办国本土的运动员一样,深圳媒体自然要多关注本土作家的参拍情况。要是平常,天涯常客面对媒体的关注当然高兴,说实话,平常他还希望媒体关注他,就像他以前对深圳商报文化版主任胡洪侠说的,当官的在乎权力大小,当老板的在乎赚钱多少,当作家的,不就在乎名气嘛。但是,这一次他害怕了,害怕盛名之后的无法收场,好比盛宴之后没有人买单一样。

天涯常客的这种担心被娃娃头感觉出来了,但娃娃头不以为然,说:大不了我们也自己买自己。

天涯常客大脑里面闪了一下,不敢确定,要娃娃头再说一遍。

"这你还听不懂?"娃娃头说,"难道你没有做过股票?股市上不经常有人自拉自唱吗?"

自拉自唱天涯常客当然懂,就是自己卖股票再自己买股票的意思。庄家无论是要拉升一支股票,还是要打压一支股票,都是采用自拉自唱的方式,损失的最多就是交易费,得到的是股票价格按照庄家的意图上升或下跌,而且能按自己的意图走出漂亮的上升通道或下跌图形。

天涯常客明白了,就是到时候万一自己的作品真没有卖掉,没关系,娃娃头接盘,或者说是娃娃头"买","成交"之后,天涯常客当然不会真收娃娃头的钱,所以,损失的最多只是一个交易费,而首届文博会的文学作品交易会为了促进交易,交易费收取率比较低,低到不仅娃娃头不在乎,就是天涯常客也不在乎的程度。

"那就这么说定了?"天涯常客问。

"说定了。大不了我买。"娃娃头答应。

天涯常客感到眼前出现了彩霞。他发现,光清高不行,还必须有钱,

像自己这么发愁的事情,在娃娃头这样的有钱人眼里,就是上嘴皮和下嘴皮碰一下的事情,根本就不算什么事情。

有了娃娃头的承诺,天涯常客的想法立刻就反过来,反过来希望媒体炒作,大肆炒作。为了让媒体大肆炒作,天涯常客甚至根据媒体的兴趣爱好,故意说一些过头的话,比如说"作品好不好,关键看市场"。还把二十多年前的流行语翻出来,加以改造,改造成"市场是检验文学作品好坏的唯一标准",故意引起有些老学究的反感。因为天涯常客知道,有反感就有反驳,有反驳就有争论,有争论就能引起关注。果然,一场关于市场到底是不是检验文学作品好坏的唯一标准的争论还真的就燃烧起来了。经过一段时间的争论,舆论普遍认为,市场是检验文学作品好坏的标准,但不是"唯一标准",因为文学作品不是真理,市场也不等于"实践"。其实,天涯常客也知道市场不是"唯一标准",但他就是这么说,不这么说,怎么能引起争论?如果不引起争论,又怎么能引起媒体的广泛关注?所以,天涯常客的醉翁之意不在酒,在意的就是引起关注,引起人们对他的参拍作品的关注,对他的所有文学作品的关注。说实话,那段时间外界对他确实是关注了,并且把关注的焦点放在深圳文博会的文学作品拍卖会上,如果天涯常客的10多部小说一下子全部拍卖出去了,并且卖出了一个好价钱,那么本身就非常能够说明问题了。

大约是天涯常客吹嘘过分的缘故,所以,从一些小渠道也传出一些不利的消息,说已经有人放出话,不管天涯常客的小说起拍价是多少,就是不举牌,看他吹。

这个消息对天涯常客是有一定杀伤力的。但是,天涯常客不怕,他胸有成竹,因为他的身后有娃娃头,有娃娃头的可靠承诺。不过,他多少还是有点心虚,因为毕竟,这属于"非正常操作",不被外界知晓当然没事,一旦被外界知晓了,特别是被媒体知晓了,传出去,那么就比拍卖不成功

第十五章 她没把他的事情当回事

更丢脸了。天涯常客忽然感悟,那么多的明星害怕媒体甚至是憎恨媒体,是不是他们本身就有"非正常操作"?

为了避嫌,天涯常客决定此地无银三百两,干脆在拍卖期间躲出去。

天涯常客到内地某大学讲学。其实天涯常客早就要去那里讲学了,但是他总是以各种理由推脱而未能成行。而这次,他却主动跟对方联系,其目的,就是离开深圳,出去躲几天,躲到拍卖会结束之后再回来,有"不在现场"的证据,以免被人怀疑是"非正常操作"。

天涯常客知道,凡是一件事情好了,好过分了,就肯定引起别人的特别注意,而只要注意的人多了,就难免会觉察出一些蛛丝马迹,所以,走最好,只要他走了,离开深圳了,不管最后人们察觉到什么事情来,天涯常客都有不在现场的有力证据,都可以说自己"不知道"。

天涯常客是在拍卖会结束之后的第二天回到深圳的。回来的前一天,也就是拍卖会的当天,天涯常客为了表明自己是"君子",也为了表示自己"不在乎",并没有给娃娃头打电话。但是他心里觉得有点奇怪,奇怪娃娃头为什么也没有给他打电话。他知道娃娃头忙,一般不主动给他打电话。但是今天不是"一般"呀,今天是拍卖会呀。天涯常客想起来了,想起娃娃头是大老板,不需要讨好卖乖,根本就没有把参加拍卖为他接盘的事情当成一个非常大的事情,所以,用不着专门打电话向他报喜。再说,本来就是铁板钉钉子的事情;也用不着报喜。

回到深圳之后,天涯常客立刻给几个圈子里的朋友打电话。打电话当然是说其他的事情,但已经想好一旦朋友们祝贺,立刻装作不知道和不在意的样子。

几个电话打出去之后,没有反应。天涯常客不高兴了。想着文人就是嫉妒心强,看我拍卖成功了,连一句祝贺的话都没有,什么意思嘛。

心里虽然不高兴,但嘴巴上却不能说,憋在心里。

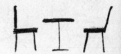

上网。天涯常客这两天在外地没有上网，接待方很热情，玩都来不及，哪里想起来上网？还是回家好，回家之后可以方便地打电话，还可以方便地上网。

天涯常客这次没有上澳一网，也没有上天涯网，而是直接进入百度搜索，输入"天涯常客"，立刻就蹦出许多与他没有任何关系的"天涯"来，于是，二次检索，输入"作家"，并且将检索范围限定在第一次检索的结果之内。这次，蹦出的基本上都是关于他的消息来了。

天涯常客喜欢看到网络上有他的消息。有他的消息，就说明他被关注了。天涯常客是文人，但是虚荣心和某些影视明星差不多，不怕媒体说他不好，就怕媒体不说他。天涯常客认为自己的性格或许更适合做影视明星，并且懊悔1977年参加首届高考的时候没有想到去报考北京电影学院。天涯常客甚至固执地认为，如果当初他报考电影学院，就一定能考上，因为文化课稳考第一，加上当时是建设兵团文工团的独奏演员，特长明显，考上电影学院应当没问题。但是，后悔没有用，事实情况是他当初根本就没有报考，现在说后悔，就好比一个人那天根本就没有钓鱼，然后却说，如果我去了就肯定能钓到一条大鱼一样。或者就像一个人那天根本没有买彩票，却一定要说，如果我买了，就一定能中500万大奖一样。如今，天涯常客选择当作家，潜意识中是不是想对没有实现的明星梦亡羊补牢？

天涯常客果然看到他的消息又多了不少，而且全部是关于作品拍卖会的消息。于是，心里一阵激动，把刚才的郁闷一扫而光。想，不是嫉妒吗？嫉妒吧！

天涯常客以异常激动的心情查看关于他的最新消息。这一看，不得了，差点儿肺气炸了。"天涯常客在家门口遭冷遇"的标题那么大，那么刺眼，刺得他睁不开眼，刺得他眼泪都下来了。

不用细看,天涯常客就知道自己的作品流拍了,换句话说,就是没有拍卖出去。

怎么会没有拍卖出去呢? 天涯常客想不通。强迫自己仔细看了一下内容,果然是没有拍卖出去,并且记者们很幽默,用了"事先呼声很高"这样的字眼,不知道是对天涯常客的安慰还是对他的讽刺。

天涯常客把自己的脑袋使劲抖了一下,像狗身上沾了水,要把水抖掉一样。然后愣了几秒钟,拨娃娃头的手机。

"哎呀,实在对不起,我昨天出差了,在东莞,还是为了那三百亩地的事情,我一个人做不了,找了一个合作伙伴,好不容易把人家从外地请来,陪他去看地,所以就把拍卖的事情忘了。真对不起,没关系吧? 我忘记拍卖会的事情了,不好意思,最后成交了吗? 你不是去外地了吗? 回来了? 你怎么了? 听见我说话没有? 你怎么不说话了? 啊? 喂! ……"

娃娃头在电话里面叫。

天涯常客没有说话,也没有挂电话,而是让话筒躺在电话机的旁边,仿佛是心疼话筒累了,想让它躺下睡一会儿一样。

第十六章　和娃娃头遗憾分手

　　天涯常客和娃娃头分手了,分手的方式是再也不给她打电话。但如果是娃娃头主动把电话打过来,天涯常客还是接的,只不过接了之后,并不说话,也不听,而是像那天一样,让话筒静静地躺在电话机旁边休息。

　　天涯常客跟娃娃头的分手不是一时冲动,而是经过深思熟虑。

　　不错,娃娃头是年轻,是漂亮,是有钱,但扪心自问,主要优点是有钱,要不然,在深圳像她那样年轻和漂亮的女孩那么多,天涯常客为什么单单对她情有独钟?尽管天涯常客不愿意承认,但又不得不承认,娃娃头吸引他的最主要原因是有钱。当初接到娃娃头的那个电话之后,天涯常客激动得说不出话,然后又做了两天的美好遐想,这些美好遐想的基础不是她有钱吗?如果不是有钱,不是有大量的钱,怎么能想起来住别墅?怎么能想象着把他现在的房子给叶小舟们?怎么能想象着通过钱做"杠杆"走向影视?钱真是好东西呀!天涯常客忽然发现,自己鄙视钱,却又需要钱,这看起来是非常矛盾的,但事实上又是真实合理的,好比世界上有那么多的男人鄙视妓女，却又需要妓女一样。难道钱就是妓女？

天涯常客承认娃娃头有钱，并且也知道钱可以帮助他办许多事情。不仅可以办他自己的事，还可以帮朋友办事，甚至能帮他热爱的文学办事。但是，天涯常客想，我娶了娃娃头就等于娶了钱吗？且不考虑人格的代价，就凭娃娃头的德行，她真舍得把自己的钱给我吗？恐怕到时候是看得见，摸不着吧。即便娃娃头能把钱用在我身上，天涯常客又想，她能把钱用在我朋友的身上吗？能用在文学上吗？想想娃娃头当初通过公司财务经理暗示天涯常客把社保关系转走的场景，想想娃娃头并不关心天涯常客跟阿力宝到底是不是真离婚而只关心房产是不是过户的情景，再想想眼下因为东莞的三百亩土地开发合作而忘记作品拍卖会的情景，天涯常客立刻就能想象出自己跟娃娃头结婚之后的情景。天涯常客甚至猜想，自己一旦真的跟娃娃头结了婚，经济上非但不宽松，说不定还会比现在更紧张。天涯常客现在的钱虽然不多，但自己用还不成问题，不但够自己用，还可以招待朋友；天涯常客现在房子虽然不大，跟娃娃头的银湖别墅没办法相比，但是自己居住和写作肯定是够了，不仅可以在里面生活和写作，而且还可以随时随地在里面招待朋友，招待朋友来喝酒，招待朋友来糟蹋，要是真跟娃娃头结婚了，别墅大是大，但是他能把文坛难友请到别墅去胡闹吗？天涯常客现在的车子虽然不高级，但是非常温柔，很听话，这要是换上一个进口自动波的，天涯常客开起来未必适应，再说自己的车子破归破，拉上几个朋友去海边还是没有问题的，如果真开上娃娃头的奔驰，不知道朋友们还愿意不愿意上去了，就是上去了，还不知道娃娃头会摆什么脸色。总之，娃娃头的钱是娃娃头的，不是他天涯常客的，即便他们结婚了也不是他的。这一点，天涯常客算是想明白了。天涯常客按照自己曾经是商人的思维，参照投资决策的原理，强迫自己做反向推测，也就是乐观的推测，推测他跟娃娃头结婚之后，花心思讨得娃娃头高

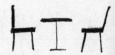

兴，那么，时间长了，娃娃头就会被感化，就会和他产生亲情，那样，就不会像现在这样在意钱了，或者仍在意钱，但至少在天涯常客面前不那么明显了，但是，如果那样，天涯常客就必须花大量的时间和精力来哄她，相当于把以前用在文学创作上的时间和精力用在讨好一个有钱的女人身上，这样的事情，跟"鸭"有本质区别吗？所以，打死天涯常客他也做不出来，于是，只好放弃，坚决放弃。

由于认识得比较彻底，所以这次与娃娃头分手并没有造成天涯常客的大喜或大悲，甚至说不上是喜还是悲，因此，并没有影响天涯常客的写作。终于一鼓作气，将《有罪释放》完成，并按计划投稿《收获》。恰好在这个时候，作家出版社那边打来电话，说他的长篇小说已经通过，即将出版。天涯常客没有欣喜若狂，只是默默地祈祷，祈祷着《有罪释放》能上《收获》，最好能上头条。

天涯常客与娃娃头正式了断之后，自然而然就与江南春雪加强了联系。事实上，早在他与娃娃头彻底了断之前，天涯常客就已经和江南春雪联系上了，但那时候联系得还比较有分寸，方式除了上网之外，还真给对方寄了书。当然，是在电话中确认对方确实是女性之后才寄书的。

天涯常客一共给江南春雪寄了两本书，且是两家出版社出版的书。之所以要选两个出版社的，主要还是想证明自己出版小说并不是靠关系，而是凭实力，因为他不可能与那么多出版社有关系。江南春雪接到书之后，肯定是认真看了，因为她还专门对这两本书进行了评论。对于《倾斜的天平》，江南春雪认为黑暗了一点，觉得那里面的人都太势利，太实际，一切以对自己有利为原则，不讲感情，并说这可能正是推行市场经济带来的副作用。对于《从坡坡屋出来的女人》，江南春雪感觉要好一些，好就好在对人物性格的形成有所交代，反映环境对一个人性格造成的影响，以及环境能改变人这个事实，比较有深度。

　　有了这个基础，天涯常客与江南春雪的交往自然又进了一步，从以前的以网络联系为主，发展到以电话联络为主。自然，是天涯常客打电话给江南春雪，并且在打电话之前，还先发一个短信，问她是不是方便接电话，既显得礼貌，又提高效率，比事先不通告一声就贸然打电话好。

　　通过通话，天涯常客感受到了江南春雪的温柔，起码，她不像娃娃头那样一切以自我为中心，总是能考虑到对方的感受，总是能把自己摆在一个适当的位置。至于文采，就更不用说了，从网上的文章能看到，从她给天涯常客的回帖能看到，从她对天涯常客小说的评判更能看到，就是两人在电话里面的交流，也是能感受到对方的宽广知识面与妙语如珠的谈吐，甚至能感受到对方的理解力。特别是价值观，也就是对文学的价值认同感。天涯常客发现，他与娃娃头走不到一起的根本原因在于价值观，在于对文学价值的认同感。当初天涯常客决定与娃娃头分手的时候，还专门给远在武汉的杜老师打过电话，汇报自己的想法。说：衡量一个当官的价值，在于他有多大权；衡量一个当老板的价值，在于他有多大资产；衡量一个文学艺术家的价值，只能看他在文学艺术上的成就，而不能看他有多大的权或多少钱。现在，他通过电话交流，感觉自己跟这个江南春雪就有接近的价值观，起码，对文学价值的认同是一致的。于是，天涯常客的心又开始蠢蠢欲动了。天涯常客想象着如果娶一个有文采有相同价值认同感的女人做老婆，虽然不是很富有，但两个人相濡以沫，相敬如宾，举案齐眉，在夜晚的暖色灯光下，一同阅读自己喜爱的文字，书写自己喜欢的文章，还真是一件非常奇妙的事，甚至是比找一个像娃娃头这样的女大款做老婆更奇妙的事。

　　天涯常客和江南春雪已经在电话里面谈到实质问题了。

　　天涯常客告诉她自己的不幸。不幸跟前妻分手了，不幸跟女朋友也分手了。天涯常客的这些诉说比较简单。比如只说跟前妻分手，而并没有

说是第一任前妻还是第二任前妻,给对方的感觉是他只结过一次婚。还比如说跟女朋友分手了,只说分手的原因是女朋友太有钱了,因此心里只有钱,没有文学,两个人没有共同的价值观,所以他就"主动"分手了。而没有说他当初之所以对女朋友发动进攻,潜意识里其实也是看上对方的金钱。

我们现在很难判断天涯常客的这种"简单"是不是欺骗,因为关于"前妻",对方并没有主动问,如果对方主动问了,问他的前妻是第几任前妻,而他不说,或者说了,说就是一个前妻,那么当然就是欺骗了。但是对方没有问,既然没有问,那么天涯常客也就没有主动说,所以,最多只能算是隐瞒,而不能算是欺骗。还有就是关于他与娃娃头分手的原因,也不能算是欺骗,最多只能算是粉饰,粉饰自己鄙视金钱崇尚文学,粉饰分手是他自己"主动"的,不是被迫的,也算不上欺骗,毕竟,从根本上说,天涯常客关于他与娃娃头分手原因的描述基本上还是实事求是的。

江南春雪也对天涯常客诉说了自己的不幸。说她和丈夫非常恩爱,但丈夫不幸英年早逝,现在她一个人带着女儿,比较艰难。

江南春雪显然比天涯常客诚实,既没有隐瞒的嫌疑,也没有粉饰自己的意思。但是,诚实的陈述往往更能给对方打击。现在天涯常客听了江南春雪诚实的叙述之后,热情就受到了一定的打击。首先,江南春雪不是"女孩"了,而是女孩她妈。谁都知道,这二者有本质的差别。其次,江南春雪说到她与亡夫之间非常恩爱,这就很让天涯常客担心她是不是能从悲哀中走出来。天涯常客是不愿意生活在一个亡灵的阴影之中的。

虚拟世界的感情本来就是脆弱的,以至于很多人在网上恋了很多年都不敢见面,怕"见光死",因此有些网民戏称网上恋爱是跟僵尸鬼恋爱,见不得阳光。现在天涯常客跟江南春雪还没有见光,就已经死了,起码是基本上死了。自从江南春雪对天涯常客说了她的真实情况之后,出于礼貌,他们仍然通了几次电话,但是,天涯常客口中再也蹦不出诙谐和跳跃的句子来,相反,说出来的全是干巴巴的东西,好像一个个独立的音符组成不了一首优美的旋律,自己听了都生硬,自然,这样的通话是越来越少了,渐渐断了联系。后来天涯常客回想起这段交往,完全把责任推在对方身上,想着对方叫什么网名不好,偏偏叫"江南春雪",江南的春天下的雪,不是一落地就化了嘛。

第十七章 结束"网恋"

江南春雪刚一落地就融化了,但是,天涯常客的信心并没有随之融化,至少没有完全融化。天涯常客想,虽然江南春雪是女孩她妈,但不代表网上就没有真正的文学女孩,并且他相信,如果找一个文学女孩做老婆,一定比找一个女老板更有共同语言,更有共同的价值观,那种在夜晚柔和灯光下一同看书一同上网一同写作的美好遐想绝不仅仅适用于江南春雪一人。江南春雪容易融化,那么如果是塞北春雪呢?江南桃花呢?这么一想,天涯常客这颗饱受沧桑的心竟然又奇迹般地重新跳动起来了。

天涯常客开始网上搜索。但他不是乱搜索,而是有原则地搜索。天涯常客为自己定的原则是文章一定要美,只有在文章美的前提下,才考虑对方是不是女性,是不是未婚。为了在更广阔的区域内进行更广泛地搜索,他现在的上网范围早已经突破澳一网和天涯网,而是几乎与文学有关的网站他都访问。别说,这样一搜索,还真发现许多文章美的女性,并且在天涯常客施放烟幕弹之后,竟然有不少回应的,甚至有的还表现出很崇拜天涯常客的样子,这让他十分受用,不管最后成还是不成,首先虚荣心得到了满足。

借着好心情,天涯常客继续写作。

这次天涯常客没有进行新的创作,而是修改几部以前的长篇。

天涯常客到底是从计划经济时代过来的人,上班上惯了,就是后来下海或自己当老板,也都是要"上班"的。本来天天上班的时候,幻想着哪一天不用上班了该多好,现在愿望实现了,没想到反而不习惯,所以,自己给自己安排"上班"。潜意识里,天涯常客把写长篇小说当成是"上班",而写中短篇或随笔当成是"业余爱好"了。所以,一部长篇完成后,常常是休息两天,立刻就又投入新的长篇创作,不能承受不"上班"的寂寞啊。于是,一部又一部的长篇小说就这样诞生了。当初媒体上报道他2003年一年写了10部长篇,几乎没有人相信,即便相信的人,也只相信他能写出10部长篇,却出版不了10部长篇,换句话说,写的全部都是废品。然而,到2004年底,天涯常客一年出版或发表了11部长篇,不但把头一年完成的10部长篇全部出版或发表,而且连当年完成的长篇也出版了一部,因此,现在人家相信了,相信他曾经是外企的高管,又自己当过老板,有钱,所以专门雇佣了一帮人在帮他写小说。天涯常客听了这样的议论,并没有生气,相反,还很高兴呢,想着正因为如此,所以才证明他的创作能力是超出常人的。超出常人他还不高兴吗?但是,这次他打算例外,打算暂时不创作新的长篇,而是下决心要休息一段时间,至少要休息一个月,因为这次他为自己的"长假"找到了一个理由,就是用这一次的"长假"修改以前的几个长篇。

既然自认为创作能力超出常人,说话当然就狂,甚至有点吹嘘了。天涯常客曾经宣称自己从来没有退稿的经历。其实说这番话的时候,他刚

刚开始文学创作,时间短,那时候确实还没有经历过退稿。但是,人不能吹牛,一旦吹牛,马上现行。好比天涯常客开了六年的车没有出事,于是就吹牛,说自己开车的技术高明,从来不出事故,谁知道刚刚吹牛的第二天,车就被别人撞了。事情确实就这么巧,信不信由你。这不,在天涯常客那次吹嘘之后,他就遭遇退稿了。刚开始他并没有在意,因为退稿的编辑比较客气,并没有明确说是"退稿",甚至也没有说小说不好,而只是说这部小说暂时不适合我们出版,不敢耽误您的时间,您赶紧拿到其他出版社看看吧。所以,天涯常客没有意识到那是"退稿",就真的发给另外一个出版社,并且在发给另外一个出版社之后,还果真就出版了。但是,也有被另外一个出版社同样说成是"暂时不适合我们出版"的,这下,天涯常客才猛然惊醒,原来他也可能遭遇退稿的,并且,这种情况不止一次,而是两次。天涯常客马上就从自己身上找原因,从自己的作品本身找原因。这么一找,还真找出不少原因,其中最根本的原因就是自己没有写好,不是名称没有写好,就是结尾实在不好,再不然就是涉及到十分敏感的问题。天涯常客现在给自己找的"工作",就是利用"长假"把这两部小说修改一下,换个出版社,重新投稿。

天涯常客不记得听哪个作家说过,说改小说比写小说还难。天涯常客信以为真,就总觉得改小说是一件非常难的事情,就总不敢改小说,宁可再写一部,也不修改。但是,真动手改起来之后,才发现修改还是比重写轻松。按实际工作量计算,如果是写一部小说,一路往下写,一天大致写3 000多字,就是他电脑文本上的3个页面。但是,现在修改,也是这样修改下去,每天差不多修改20多页,快多了。由于天涯常客以为修改很难,时间上安排得比较充分,所以,这段时间就相对清闲,网上搜索的行动也就更加频繁。这时候,他的几个难兄难弟如九月半、叶小舟之类也跟在后面推波助澜,天涯常客在哪个网站上放烟幕弹,九月半和叶小舟他们就跟在后面吹捧，把他说成是在深圳有房有车的"大款作家"，于是，他放出去的烟幕弹杀伤力就比较大，就真的有文学女孩愿意和他做朋友。比如有一个正在上大学的文学女孩，竟然向他发出邀请，邀请天涯常客去看她。天涯常客说不敢去看她，女孩问为什么不敢看她？她也不是老虎。天涯常客就说怕见面之后控制不住自己。女孩问怎么控制不住自己？天涯常客说就是想非礼你的那种控制不住自己。女孩说不存在"非礼"的问题，既然我请你来，就打算把自己的"第一次"交给你。女孩这样一说，反而把天涯常客吓住了，不知道女孩到底是做什么的了。女孩紧追不放，把自己宿舍的电话号码告诉他，让他随时打电话来核实，并且把自己的真实姓名和大学的网站地址告诉天涯常客，让他核实。天涯常客没有去核实，因为如果核实对方确实是在校大学生，那么就根本不可能与他有结果，为了这个"第一次"，这么远跑过去，合适吗？再说，谁知道她到底是不是"第一次"呢？是"第一次"怎么样？不是"第一次"又怎么样？天下没有白占的便宜，过去一次，耽误几天时间不说，起码还要花几千块钱，还很难保证不惹一点麻烦。总之，怎么算都不合算，最后放弃。

后来又陆续交往了几个年纪大一些的，甚至是离过婚的，天涯常客认为自己跟这样女人还比较实际一些，起码比跟一个在校大学生实际。但是，这样在网上广泛撒网一段时间之后，他忽然发现一个事实：真正的美女文人是不存在的，她们要么不是真正的美女，要么不是真正的文人，仿佛上帝是公平的，给了一个女人漂亮的外表，就舍不得再给她出众的才华，所以，天涯常客理想中的那种美丽、温柔、有文采的女人几乎不存在，即便存在，对方也不一定看上他。比如他看上一个浙江宁波的美女文人，但人家看不上他，说得很客气，说她很崇拜他的才华，但不适合做他的妻子。跟当初天涯常客对江南春雪说的话如出一辙，以至于直到今天天涯常客都怀疑，宁波的美女文人是不是就是江南春雪；故意换个马甲出来报复他的。

不管是不是报复，天涯常客已经明白了一个简单而深刻的道理——凡是对方看上他的，他往往看不上对方；凡是他看上对方的，而对方又往往看不上他。这就是生活。生活中常常存在不被我们察觉的微妙的平衡。如果万一哪一天有一个非常漂亮又确有文采的女孩真的看上了天涯常客，并且自愿把自己的"第一次"交给他，他又不敢相信这就是真的。好比有些人天天盼望着天上掉馅饼，但是天上却从来都不会真的掉馅饼，万一哪一天天上果然掉下一个馅饼，也绝对没有一个人敢吃。

网络虽然没有给天涯常客带来真实的爱情，但让他迅速明白了许多道理，如果不是在网络上，而是在现实生活中摸索，那么，明白这些道理可能要花费天涯常客更多的时间，消耗他更多的精力，甚至，有些道理在现实生活中可能永远也体会不到。因此，天涯常客认为网络提高了生活效率。

天涯常客准备结束"网恋"，结束的方式是在网上发布消息，说自己终于找到心上人了，并且准备马上结婚了，以便让以前关心他的人不用再在网上关心他了，那些曾经被他烟幕弹击中过的女同胞，更不需要再做无谓的试探和等待了。这，大概可以说是天涯常客作为一个文人的"网德"吧。

第十八章 性不是万能的,但没有性是万万不能的

网恋是结束了,但是不代表天涯常客就不恋爱了。事实上,天涯常客还要继续恋爱,因为他是人,他有这种需要,不仅有心理上的需要,还有生理上的需要。并且随着单身时间的延长,这种需要非但没有减弱,相反,更加强烈了。

这也难怪,自从阿力宝回武汉之后,天涯常客就没有性活动了。前段时间虽然说跟娃娃头处朋友,但由于娃娃头忙,忙到他们见面的机会都很少,好不容易见一次面,娃娃头的电话一个接着一个,搞得自己像话务员,所以,根本没有闲暇"思春"。再说,尽管他们是朋友,并且是朝着婚姻方向发展的男女朋友,但毕竟天涯常客曾经为娃娃头打过工,所以,在男女问题上,娃娃头不主动,天涯常客是不敢造次的。这,大概就是所谓的"尊重"吧。天涯常客不知道这种尊重到底是好还是不好,但有一点他是清楚的,那就是他好长时间没有做那种事情了。至于跟江南春雪,以及江南春雪之后在网络上的那些"恋",也仅仅是停留在网络上,连对方的面

都没有见过，好不容易有一个主动提出与他见面的，他还不敢，怕承担责任，或者是考虑为这种根本没有结果的一次消耗那么多的时间和金钱不合算，没有去。所以，这段时间确实非常饥渴了，性饥渴。

天涯常客这段时间完全靠自己动手解决问题。但是，性的问题和吃的问题还不一样，当年为了解决吃的问题，王震率领359旅自己动手开垦南泥湾，还真解决了当时吃的问题。可是今天，天涯常客却不能完全靠自己动手解决性的问题。道理非常简单，吃的问题是纯粹的生理问题，而性的问题除了生理问题之外，还有心理问题。自己动手最多只能缓解生理问题，但不能解决心理问题，而且往往适得其反，在自己动手解决问题之后，天涯常客常常悲伤地想，这个世界上有那么多的女人，难道就没有一个属于我？于是，日有所思，夜有所梦。这一梦，他又梦见了海伦。

怎么又梦见海伦呢？

海伦就是向阿力宝推销化妆品的那个武汉女孩。由于要向阿力宝推销化妆品，海伦曾经来过他们家，来为阿力宝做面部护理保健，所以，天涯常客跟她见过面，认识。海伦的主要特点是热情，过分的热情，用天涯常客的家乡话说，就是"逗"。说实话，天涯常客并不喜欢海伦，甚至还有点看不起她。但是，也要实事求是地承认，海伦是年轻的，也是漂亮的，甚至还是性感的。那次阿力宝过生日，天涯常客还没有想起来为她搞派对，海伦倒想起来了，并且还事先做了准备，专门请阿力宝和天涯常客吃了饭。在那次带有明显商业目的的友好饭局上，海伦穿了一件不对称连衣裙，给天涯常客留下非常深刻的印象。所谓不对称，就是一边的肩膀上穿着衣服，另一边的肩膀是光着的，有点像藏族同胞穿的那种样子。但藏族同胞穿那种衣服的时候，露出的一边肩膀上面仍然有衣服。比如像藏族笑星洛桑那样里面有白衬衫，像班禅大师那样里面有黄衬衫，但海伦不是，海伦里面什么都没有，光光的，露出的是鲜亮光洁的皮肤。天涯常客承认，鲜亮光洁的皮肤比任何颜色的衣服都好看。虽然好看，但天涯常客并没有仔细看，不但没有仔细看，而且还尽量视而不见。道理很简单，阿力宝在场，如果阿力宝不在场，那么天涯常客肯定是要仔细看的。那么，现在天涯常客不止一次地梦见海伦，是不是与那次没有仔细看而留下的缺憾有关呢？好比股票行情K线图上留下的跳空缺口，早晚要补上，不补上就难受一样？应该不是，至少不全是，如果仅仅是因为那个原因，那么天涯常客梦见的可能只是海伦的肩膀，但事实情况是，他梦见了海伦的全身，这就不得不让天涯常客疑惑了。

海伦身上的皮肤和她肩膀上的皮肤一样，至少说是基本一样，也是鲜亮光洁的。天涯常客以前听生意场上的一个朋友说过，在歌舞厅挑小姐和在菜市场挑鲜鱼差不多，尽量挑选鲜亮光洁的，因为外表鲜亮光洁的女人，里面基本上也干净。天涯常客这方面的经验不足，不敢肯定那个朋友的话是不是有科学道理，但他知道，女人鲜亮光洁的皮肤有一种功能，一种神奇的功能，就是让男人产生想亲近、想抚摩、想进入的冲动。天涯常客想起来了，物理学当中有一个专业名词，叫亲和力，用在这里比较贴切。现在，虽然是在梦里，但这种亲和力就已经发生作用，并且发生作用的过程比人醒着的时候还要快，天涯常客好像还没有跟海伦怎么亲近和抚摩，就直接一下子进入了。刚一进入，天涯常客就惊醒了，但是已经晚也，必须要起来清理了。

第二天起来，天涯常客的欲望并没有减退，反而愈加强烈，主要表现是看不进东西，看来看去还是在那一页，好像是原地踏步。抵制了一上午，下午不想抵制了，自己给自己找理由，与其这样没有效率地干耗着，不如约海伦见一面。这个想法一经产生，就像爆发在美国的金融海啸，势不可挡。

见一面也没有关系，天涯常客想，就是出于礼貌也应该见一面。上次

在武汉，海伦热情地打来电话，告诉他关于报纸的消息，没想到让阿力宝一瓢凉水从头泼到脚，一点余地都没有给人家留，怎么说都是失礼，现在约她见一面，请她吃顿饭，也算是一种礼貌吧。

一想到请海伦吃饭，天涯常客就想到上次海伦请他和阿力宝的那次，想到海伦在那次吃饭的时候穿的那身衣服。天涯常客想，如果我今天约海伦出来吃饭，她还能穿上次那身衣服就好了。如果还能穿，那么天涯常客就可以一饱眼福了。

天涯常客开始找海伦的名片。他记得海伦给过他名片，但是怎么找都找不到。名片这东西很怪，天天放在那里派不上用场，好不容易派上用场了，却又找不到，而且，非常凑巧的是，丢掉的恰好就是你要找的那一张。

难道是天意？天意要我不要约海伦出来吃饭？不会的。天涯常客想，假如天意真是这个意思，那么天意为什么又让我梦见她呢？但是，不管是不是天意，找不到就是找不到。

天涯常客是急性子，既然已经动了这个念头了，就一定要找到，而且最好是立刻就找到。所以，那个下午天涯常客很焦急，仿佛找名片已经不仅仅是为了约海伦出来吃饭了，而是这件事情本身就有特殊的意义，一定要找到。突然，天涯常客想起来了，上次回武汉之前，为阿力宝收拾东西，收拾出一些宣传品，将这些宣传品和一些文件一样的东西放在一起，天涯常客当时以为是与阿力宝有关的一些资料，最后装包时才发现是宣传品，所以就没有装在包里面，而是放回到阿力宝的梳妆台下面了，天涯常客印象中那些宣传品上面好像钉了一张名片。

天涯常客大脑兴奋了。立刻跑到梳妆台跟前，弯下腰，打开小柜子，把这些宣传品取出来，平铺在床上，眼前突然一亮，果然看见了一张名片，海伦的名片！

天涯常客现在相信天意了，相信是天意让他找到海伦的名片并且让他去跟海伦约会的。

在天涯常客看来,天意也是为人所用的,当"天意"能够对人的行为做出有利的解释的时候,人就相信"天意"。如果反过来对人不利,那么人就不相信,就认为是迷信。现在,"天意"的解释对天涯常客有利,所以,天涯常客宁可信其有。

在"天意"的鼓励下,天涯常客给海伦打电话。一边打一边担心,担心海伦会不会不接他的电话,或者接了,但态度不好,不热情,起码没有以往那样热情,那该怎么办?

天涯常客这种担心不是没有道理的,因为阿力宝已经明确地对海伦说过了,说他们分手了,她不回深圳了,并且要海伦以后不要再打电话给天涯常客了。如果海伦念旧情,对阿力宝的态度不计较,真听阿力宝的,那么她就真的不给天涯常客打电话了。事实上,自从上次阿力宝那样说了之后,海伦也确实没有再给天涯常客打过电话。而如果情况相反,海伦对阿力宝的态度计较了,生气了,那么,就更有可能不接天涯常客的电话,毕竟,如果不看阿力宝的面子,海伦根本就不认识天涯常客。再说,既然阿力宝已经明确告诉她自己回武汉了,这个顾客肯定是丢了,海伦还需要买她的面子吗?因此,无论是哪一种情况,海伦都有可能不接天涯常客的电话,或者接了电话,态度冰冷。

随着电话铃声的传递,天涯常客的心跳也逐渐加剧,有那么一刻,他甚至都想放弃了,想在海伦还没有接这个电话之前就把电话挂了,这样,至少还能保证不会直接面对海伦的冷淡。但是,在天涯常客决定放弃之前,海伦接电话了。

"海伦吗?你好,我是天涯常客呀。"天涯常客使用的是英语Helen发音,比读汉语"海伦"好听,并且他尽可能让自己的声音有弹性,仿佛他们之间——准确地说是海伦和阿力宝之间根本就没有发生过任何的不愉快。

"哎呀,天涯大哥呀,你回来了?"海伦热情依旧。这是天涯常客没有料到的。

"我想请你吃饭。"

"您请我呀?哎呀,还是我请您吧。"海伦依然以高八度的音调说话。

"还是我请你。"

"为什么呀?"

"不为什么,"天涯常客说,"就是想请你吃饭。"

"那好吧。"海伦很顺从。

可惜,两个人晚上见面的时候,海伦并没有穿上次的那身衣服,所以,也就没有再露出一个肩膀,相反,海伦那天穿了很多衣服,把自己包裹得严严实实的,一点鲜亮的皮肤都不露,仿佛是有意跟天涯常客过不去。天涯常客虽然非常失望,但马上就明白过来,海伦这样做并不是针对他的,甚至不是针对任何人的,而是专门针对天的。因为现在是冬天,海伦不可能再穿一件像藏族同胞那样露着一个肩膀的不对称衣服。

天涯常客由此就觉得现在的天气很怪,北方的夏天比南方热,南方的冬天比北方冷,比如今年南方的冬天就异常的冷,比北京还要冷,已经造成自然灾害了,难道地球真的打摆子了?

尽管把自己包裹起来了,但并没有包裹住海伦的热情。天涯常客没想到海伦还是这么热情,一点都不在乎阿力宝的态度。

天涯常客多此一举地向海伦解释阿力宝那天的态度,仿佛他还跟阿力宝没有离婚,阿力宝还是他的老婆,现在,老婆说了什么不得体的话了,需要他这个做丈夫的出面解释,出面赔礼道歉。其实他这样的解释完全没有必要,因为海伦根本就没有计较那天阿力宝的态度,只是关切地问天涯常客:"你们真的分手了?为什么呀?你们是多好的一对呀!走出去那么打人,干吗说分手就分手了?"

"打人"是武汉话,就是出去之后非常遭人羡慕甚至有点嫉妒的意思。

天涯常客吸了一口气,准备叹出来,但马上就察觉到了自己的多余,于是就没有叹,至少没有使劲地叹。

"不是我们分手,"天涯常客说,"是她不要我了。"

"不会吧!天涯大哥您这么优秀。"

天涯常客咧嘴,咧得不是很大,只是向两边撇了一下,不能算正式的笑,但毕竟是笑了,苦笑。

天涯常客不想解释,没有必要解释,也解释不清楚,再说,他相信海伦也未必就真的想听解释,于是,把话岔开。

"你现在做什么?"天涯常客问海伦。

"还是做化妆品呀,我一直做化妆品呀。"

"做化妆品好,"天涯常客说,"犹太人做生意最精,他们就强调要做女人的生意,认为只有做女人的生意才好赚钱。"

天涯常客有资格说这样的话,因为他曾经在犹太人的公司里当过经理,和许多犹太人打过交道。

天涯常客这句话本意是想讨好海伦的,说海伦会做生意,像犹太人一样会做生意,没想到,海伦并不同意他的观点。

"不一定的了,"海伦说,"现在男人也需要化妆的了。您看国外的成功男士,哪个不是天天化妆?对了,我们最近推出一种新产品,专门为中年男人准备的,您可以免费拿一点回去试试。"

在以后的谈话中,海伦为天涯常客讲了许多关于皮肤护理的科学道理。按照海伦的说法,像天涯常客这样的中年男人,如果不赶快采取皮肤护理措施,那么简直就是对自己的严重摧残了。不仅影响形象,而且还能

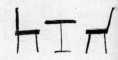

导致许多疾病。总之，一句话，男人一定要使用化妆品，而像天涯常客这样有身份的中年男人，更要用。

天涯常客一开始并没有注意听，应付着，姑妄听之吧。后来听着听着就有点反感了，想着本来是一次很有情调的约会，没想到搞得像产品推销活动一样。天涯常客的耳边不禁回响起阿力宝在出租车上的话："少跟这个小妖精来往！"想着老婆就是老婆，哪怕是已经离婚的老婆，也还是向着他，提醒他不要跟海伦这样的小妖精来往，看来还真有道理。

这么想着，天涯常客不自觉地就看了海伦一眼。这一看不要紧，竟然发现海伦果然是小妖精，脸上的皮肤那么得嫩，白里透红，像他家乡的一种香李，一掐就能渗出水的样子。天涯常客突然产生一种想上去掐一下的冲动。

低头吃菜。天涯常客努力压抑自己的冲动。但大脑不听指挥，哪壶不开提哪壶，竟然自动播放昨天梦里的纪录片，于是，天涯常客就更加冲动，需要更大的压抑。一抬头，发现海伦正热情地看着自己，仿佛看透了他的心思。

"可以吗？"海伦问。

天涯常客不知道可以什么，也不知道什么可以，只看见海伦一副洁白的牙齿，而且这副洁白的牙齿与她白里透红的脸相得益彰，交相辉映。

"啊，好。"天涯常客答应，瞎答应。

海伦笑得更加灿烂，具体表现就是洁白的牙齿露出得更多，光洁的脸庞白里更加透红，像新鲜的水蜜桃。海伦一边灿烂地笑着，一边往桌子上摆化妆品，顷刻之间，晚餐又演变成了产品展示会了。

"这个是晚上睡觉前用的。晚上上床之前，洗好脸，把它敷在脸上。不要敷得太厚，只要比平常擦护肤霜的时候稍微多一点点就行了。注意敷的时候不要太用力，要用手内掌面向两边轻轻地抹，像顺便做面部按摩一样，多抹一会儿。哎，对了，我上次在您那里给丁姐做的时候您看见了吗？就是那个样子的。"

天涯常客不知不觉顺着海伦的思路走，果然就回忆起当初海伦为阿力宝做面部护理时候的样子。但是，实在回忆不起当时海伦是怎样用手内掌往两边轻轻抹的细节，只记得当时阿力宝躺在床上，并且是躺在脚头，这样头不挨墙，可以给海伦在她头顶那边留一个位置，让她能够操作。

突然，天涯常客大脑中亮光一闪，马上兴奋起来。想着如果当时躺在床上接受面部护理的不是阿力宝，而是他自己，那会怎样？

如果是他自己，天涯常客想，那么让海伦的小手在他的脸上轻轻抚摩一定是一件非常奇妙的事情，并且，海伦在为他做这些动作的时候，她自己的脸几乎贴在天涯常客的脸上，天涯常客能非常近距离地观察海伦脸上的肌肤，也能非常近距离地观察海伦的牙齿，甚至还能一直窥视到海伦的喉咙里，而海伦的喉咙深处一定是鲜红的，那是海伦真实的肉体，没有被皮肤覆盖的肉体，即使被皮肤覆盖，那也是非常薄的皮肤，薄到透明的程度，就像……就像避孕套一样，就像……就像那里面一样。

天涯常客感到胸口被灼烧着。

"这一套多少钱？"天涯常客问。

海伦愣了一下，准确地说是兴奋了一下，说："一套480元，用3个月，如果您能办一张卡，每套380元，而且每月免费为您做两次面部护理。"

"是上门服务吗？"天涯常客问。

"那当然。"海伦说。

"一张卡多少钱？"

"一张卡用一年，总共四套产品，1 520元，我按优惠价给您，收1 480元。另外您还可以参加抽奖，中奖者可以免费得到一张卡。还可以累计积分，

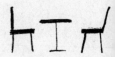

积分到8 000元时，可以抽大奖，获得大奖者可以免费去新加坡总部参观。如果您积分达到8 000元，不想参加抽大奖，可以直接获得一张免费年卡……"

天涯常客没想到海伦的口齿这么伶俐，但现在显然不是天涯常客欣赏她伶俐口齿的时候，于是，只好打断海伦的滔滔不绝，说："我先买一套试试吧，你现在就可以帮我做护理吗？"

"现在？"海伦问。

"现在。"天涯常客说。

"这里？"海伦又问。

"当然不是这里，"天涯常客说，"吃过饭你跟我回去，上我家做。"

说完之后，天涯常客有点心虚，眼光游离着，不看海伦，故意一本正经，目不斜视，仿佛他心术很正。

"好啊好啊，我已经吃好了，您吃好了吗？"

天涯常客一扬手，喊："买单！"

第十九章　是我诱惑了海伦还是海伦诱惑了我

　　此时的天涯常客已经带着海伦回到自己的家。大约是过分激动的缘故，刚才驶进小区的时候，车子还差点撞在栏杆上。

　　天涯常客居住的这个小区叫方卉园，虽然占地面积大，但由于建设得比较早，所以与一些后来居上的花园相比，算不上所谓的"高档小区"，但它偏偏跟旁边后建的那个以高层为主的高档小区同属于一个物业公司管理，于是，本小区的保安在管理方式上也执行旁边那个所谓高档小区的相同标准。业主的车子驶进小区的时候，他们的第一个动作不是按下开关打开活动栏杆，而是先敬礼。天涯常客是这里的真正业主，不是租房户，所以比较注意影响，除了阿力宝之外，还从来没有带过其他女人回来，那天海伦坐在副驾驶的位置上，很显眼，所以天涯常客就有点心虚，就想快速通过小区大门，以免让人看见他带一个女孩回来，可保安偏偏要先敬礼然后再开门，这样，天涯常客的小车子就不得不停下。但是他又实在不想在那个人流集中的地方停下，一犹豫，就差点撞在栏杆上。

　　一点小小的挫折并没有影响两个人的情绪，相反，还让天涯常客从过分激动的情绪中稳定下来，更加从容。此时，他已经按海伦的要求躺在了床上，等待着海伦为他做面部护理。但是他没有全听海伦的，而是留了一个心眼，故意没有睡在脚头，仍然把头朝平常睡觉的这边。这边靠墙，如此，海伦在做护理的时候，就只能跟他面对面，贴得更近。

　　海伦显然已经具备了当今职业销售人员的专业素质，天涯常客要睡靠墙的那头，她就同意他睡那头，并且她肯定是接受过这方面的训练，在靠墙的这头，照样可以为天涯常客做面部护理。

　　海伦征得天涯常客的同意，使用了天涯常客家里的部分器皿，比如小碗和小盆什么的。先把盆洗干净，然后在里面盛些热水，取出她自己小包里的一个小瓶子，往热水里兑了一点药水，再从小包里取出一种经水不散的面巾纸，在水里蘸湿，轻轻挤一下，把多余的水挤掉，然后帮天涯常客擦脸。擦得很轻柔，也很仔细，比如在擦眉毛的时候，不像天涯常客自己洗脸的时候那样眉毛胡子一把擦，而是轻轻地顺着眉毛的长势从眉心往外擦，生怕把某一根眉毛折断的样子。

　　天涯常客脸红了。不知道是被海伦擦脸擦红的，还是心理作用闹红的。事实上，一进家，天涯常客就感到自己的心跳加速。不对，应该说在客家菜馆说到要来家里做护理的时候，天涯常客的心跳就已经开始加速，但那时候没有现在这么明显，因为天涯常客到底不年轻了，知道不到手的东西就不能算自己的东西，好比一篇小说已经通过三审了，应该是肯定发表了，要是以前，天涯常客就会在文友面前故意装着不经意轻描淡写地炫耀了，但是现在他不会这样做。因为现在他知道，即使三审通过了，也不一定就发表，所以，当时在客家菜馆说好要来家里的时候，天涯常客还没敢高兴得太早，还担心在上车的那一刻，海伦会突然找出一个理由说"改日吧"，而海伦一旦说"改日"，那就好比朝鲜说"暂停"六方会谈,不知道要拖到猴年马月了,所以,只有进入家里之后,天涯常客的心跳才正式提速。

天涯常客忍着。刚才进门的时候是小忍,现在躺在床上接受海伦的洗礼是大忍,好在此时海伦的肌肤还没有直接接触天涯常客的肌肤,还给天涯常客有想象的空间,想象着等一会儿海伦用自己的手内掌沿天涯常客的鼻梁向两侧轻轻地抚摩过去的时候,会是怎样的一种美妙的感觉。所以,尽管大忍,但还能忍得住。

接下来就要进行实际操作了。

海伦这时候已经侧身坐在了床上,虽然两人隔着并不算薄的衣服,但天涯常客仍然能感觉到她身上的体温。海伦这种姿势让天涯常客有一种似曾相识的感觉。难道阿力宝在自己的身边这样坐过?没有。那么第一任老婆呢?天涯常客想了想,也没有。那怎么会有似曾相识的感觉呢?天涯常客努力想了想,还真想起来了。是母亲,是他小时候生病的时候,母亲给他喂药,这样在他身边坐过。看来,《随风飘荡》的作者肖双红说得对,任何似曾相识都不是无中生有。

海伦开始往天涯常客的脸上点东西,给天涯常客的感觉是点小时候用的雪花膏,凉凉的,还微微有点痒的感觉。这种轻微的凉和痒让天涯常客感觉蛮舒服。

海伦开始在天涯常客的脸上抚摩,准确地说是为他脸上涂化学品,但由于涂抹得轻柔仔细,感觉就是抚摩。

海伦在操作的时候,跟天涯常客挨得很近。假如说刚才天涯常客还只是右腰外侧能感受到海伦身上的体温的话,那么现在有这种感受的部位就非常多,不仅海伦的一只乳房一下一下几乎点击他的胸膛,而且从海伦口腔中呼出的热气也一阵一阵地侵蚀着天涯常客的脸庞,甚至侵蚀过脸庞之后,还进一步入侵天涯常客的呼吸道,以至于他能清楚地辨别

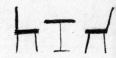

出那是来自海伦体内的味道。

　　不知道是想躲避还是想进一步享受，天涯常客努力想闭上自己的眼睛，但又舍不得。费了很大的劲，终于闭上了。至少是微微闭上了。但是，闭上之后，并没有减轻心中的涌动，相反，还立刻产生了幻觉。幻觉中海伦并不是在为他做面部护理，而是在跟他亲吻，并且伴随着海伦手掌在他脸上的轻轻划过和呼出的气体在他面部的一阵阵侵蚀，给天涯常客的感觉这就是在亲热了。天涯常客大脑暂时缺氧，指挥失灵，一下子没有控制住肢体，突然，他双手一拽，把海伦的脸贴到了自己的脸上。后来，在那件事情发生很长时间之后，天涯常客每当回忆起那晚上的细节，他都在心里为自己开脱，开脱成并不是他主动，而是海伦自己主动的，否则不会那么巧，正好就是海伦的嘴唇压在他的嘴唇上，并且当他一张开嘴的时候，海伦的舌头立刻就顶了进来，如果不是她主动的，难道还是天涯常客把她的舌头拽过来的？如果是天涯常客拽的，那么是拿什么拽的呢？天涯常客总不能把手伸到海伦的嘴巴里面吧？所以，他相信，一定是海伦主动的。

　　不知道是海伦自己主动的缘故，还是天涯常客饥渴了很长时间的缘故，总之，那是天涯常客感觉最猛的一次，真有一种要把海伦全部吞下的凶猛，或者是自己被海伦全部吞进去的渴望。两个人是怎么褪掉衣服的细节天涯常客已经记不清楚了，因为当时他好像一直保持那么微微闭上眼睛的状态，所以没有看清楚。既然没有看清楚，当然也就记不清楚。但是，他们肯定是脱掉衣服了。不脱衣服，他怎么能感受到海伦的烫？不仅身体表面的皮肤烫，而且身体内部更烫。一种火热的烫。事实上，天涯常客从来就没有经历过这么烫，他也从来就没有想到过女人那里面还能那么烫。但他那天确实是感受到了什么是烫。天涯常客后来猜想，是不是那段时间自己经受了太多的冷，所以才感受到对方的烫？大约是由于太烫，所以，第一次很快就结束了。尽管天涯常客非常不情愿结束，非常希望继续享受那种从未经历过的烫，但是，他控制不了局势，就像开始他控制不住自己的手而未经许可就把海伦的嘴唇拉到自己的嘴唇上一样，现在他同样没有征得海伦的认同，就擅自提前结束了。他因此感到沮丧。幸好没有经过多长时间，雄风再起，并且这次持续了很长时间，任天涯常客一次又一次地想把自己的整个身体融进海伦的体内，尽管事实上他没有把整个人体送进海伦的体内，但至少让自己身体的某一个部位最大限度地进入了海伦的体内，而且每次似乎都用尽了浑身的力气，试图深入一点，再深入一点，虽然可能并没有再深入多少，但是给海伦的感觉一定是真深入了不少，要不然，她怎么会那样歇斯底里地死劲吼叫呢？那是一种特殊的吼叫，跟任何一部电影或电视上面演绎的吼叫都不一样，但天涯常客对这种吼叫并不陌生，他似乎听过。在哪里听过呢？认真回忆了一下，才想起来，是当年在建设兵团看食堂炊事员杀猪的时候听过。那时候他听这种声音很震撼，觉得人类太残忍，今天他听到类似的声音却很兴奋，感觉自己异常威猛。他不知道自己是进化了还是退化了。

然而，任何好景都是不长的，因为好到极致就必然走向回归。天涯常客是学科技情报的，这个专业很吃亏，既要求中文好外文好还要求数理化好，所以他学过高等数学和大学物理，知道任何曲线到达顶点之后都必须要向下运行。大约是那天的感觉太好了，好过分了，所以，虽然持续了不短的时间，但是从总体上说，整个经历留给天涯常客的美好时光格外的短暂，以至于他后来跟朋友说，他花在甩掉海伦的时间和精力远远大于他为了得到海伦所消耗的时间和精力。事实上，天涯常客和海伦之间真正的经历也就是那么一次，因为那一次的经历刚刚结束，天涯常客立刻就产生了厌恶感，并且这种厌恶感跟一个小时之前的渴望感一样强烈。

那天他们结束后，准确地说是第二次碰撞结束后，余兴未尽，又一起

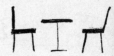

钻进卫生间共同洗澡,谁知道就是这个洗澡,让天涯常客对海伦产生了厌恶。难道真的像有些人说的那样,男人对女人的感觉如果来得快,那么去得也一定快?

海伦瘦。瘦不是缺点,不是有那么多的男人喜欢瘦女人吗?天涯常客也不例外。事实上,在没有看清楚海伦的完整身体之前,天涯常客喜欢女人瘦。说实话,天涯常客对阿力宝外表不满意的地方就是阿力宝有点胖。大约正是阿力宝有点胖,所以天涯常客就隐隐约约地喜欢瘦,甚至常常幻想着与一个瘦女人做爱时候的样子。在天涯常客这些幻想当中,以为瘦女人那里面一定比胖女人紧,因为瘦就表示小,小当然就紧,要不然商店里面为什么要卖"缩得妙"? 所以,天涯常客想象着跟瘦女人做爱的时候一定能得到一种更充实的满足。但是,那天跟海伦做爱的时候,天涯常客根本就没有感受到海伦是不是更"充实"一些,只是感受更烫一些,或许正是因为烫而让他忽视"充实"了,但不管怎么说,海伦给天涯常客的实际感受跟他以前对瘦女人的性幻想不是一回事。问题还不在这里,问题在于他们双双钻进卫生间洗澡的时候,天涯常客看清楚了海伦的全貌。这一看不要紧,当场就让天涯常客产生了厌恶感,强烈的厌恶感。

或许天涯常客确实喜欢瘦一点的女人,比如像香港演员舒淇的那种瘦,但不是像海伦这种瘦。天涯常客在与海伦共同洗浴的时候才发现,由于太瘦,她已经瘦得没有章法了。天涯常客清楚地发现,海伦的大腿上几乎是没有肉的,这样,就导致了三个问题。第一,膝盖显得异常的大,大得不成比例,难看;第二,屁股上没有肉,是瘪下去的,就像死人骷髅的脸一样,更难看;第三,小肚子里面的肠子没有瘦掉,所以,小肚子的周围平坦,但中心突出,像突然鼓起来的山包,并且胀得厉害,像能看见里面的肠子一样,恶心了。三管齐下,天涯常客立刻就产生了厌恶感,强烈的厌恶,感觉刚才是跟一个丑陋的老太太做了那种事情一样。于是,天涯常客

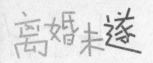

像内急了似的,咬紧嘴巴,慌慌张张地擦了一把,赶紧穿衣服,逃离。

但是,这是他自己的家,往哪里逃?

海伦对天涯常客心理的突然变化并不知晓,她还沉浸在刚才的喜悦之中,还在发嗲。见天涯常客提前出卫生间了,不甘心,一会儿问:"天涯大哥,你在干什么呢?怎么不说话了?"一会儿说:"哎呀,你帮我找一双拖鞋吧,要不然我怎么擦脚呀?"最让天涯常客心惊肉跳的是,她竟然问:"你这里有没有睡衣呀?没有睡衣我穿什么呀?"

天涯常客有一声没一声地应付着。想着怎么样才能尽快摆脱这个已经让他恶心的女人。不是以后才摆脱,而是今天晚上就要摆脱,现在就要摆脱。但是,海伦是那么容易摆脱的吗?

第二十章　上床容易下床难

　　天涯常客曾经写过一部小说,小说开头的第一句话就是:"这年头把女人哄上床容易,可要把女人哄下床就难了。"这句话现在用在他自己身上最合适。

　　天涯常客现在的全部心思都在想一件事,那就是怎样把这个已经让他产生厌恶感的海伦请出这个门。天涯常客知道,越是拖的时间长,将来越难摆脱。现在他们是做爱了,如果不马上把她请出去,那么紧接着她就要在这里过夜。在天涯常客看来,过夜比做爱又上升了一个档次。天涯常客现在不想再跟海伦上档次了,再也不能上了,否则就真摆脱不掉了。所以,他今天晚上必须把海伦请出去。

　　天涯常客不知道怎么样才能把海伦请出去。他突然有一种欲哭无泪的感觉。直到现在,他才想起阿力宝那天说的话"你以后少跟这个小妖精来往"。这句话当时在天涯常客听起来,简直就是女人本能的嫉妒。但是,今天回想起来,完全是另外一种感觉,感觉这句话不仅是出于女人对女

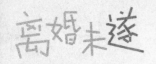

人本能的嫉妒,更有可能是出于女人对女人本能的感觉,感觉天涯常客跟这个海伦早晚会有这么一天,而且感觉一旦天涯常客真的跟这个海伦有一腿之后,就肯定会遭遇巨大的麻烦。

天涯常客突然产生一种想给阿力宝打电话述说的冲动。说实话,要不是海伦仍然在这里,他可能真的就打了。仿佛阿力宝并没有和他离婚,而只是出远门了,最多只是两口子吵架赌气回娘家了。但是,海伦仍然还在这里,即便阿力宝确实还是他的老婆,天涯常客现在根本就没有空间和时间给阿力宝打。天涯常客现在首先要做的事情,就是尽快把海伦打发走。

等等,天涯常客想,欲速则不达,如果现在就暴露出自己对她的厌恶,那么她翻脸了,赖着不走,天涯常客还真不好处理。想到这里,天涯常客就强迫自己冷静下来。正在这个时候,海伦提出要睡衣。要睡衣,当然就是不打算走了的意思,起码是今天晚上她不打算走了。

不行,天涯常客想,不能让她在这里留宿,坚决不能让她在这里留宿。

"睡衣呀,"天涯常客故作轻松地说,"没有。"

"那怎么办?"海伦依然嗲声嗲气。

"你先把衣服穿起来吧,"天涯常客说,"我带你出去洗脚。"

说完,天涯常客害怕海伦继续发嗲,不同意,于是又做了补充,补充说自己实在太累了,所以想洗洗脚。

天涯常客相信,这时候的海伦一定会表现出体贴他的样子,既然天涯常客说自己太累了,需要按摩洗脚,那么海伦当然不好不同意。

果然,天涯常客这样一补充,海伦就笑了。既然笑了,也就好说话了。就真的穿好衣服,跟天涯常客出门,上车,出去洗脚。

天涯常客长长地舒了一口气,竟然想起了一部老记录片的名字,叫

"送瘟神"。但想起来之后，又立刻发觉自己的恶毒，不厚道。再侧脸看看海伦，依然那么年轻，依然那么漂亮，还依然那么热情。

海伦见天涯常客侧头看她，立刻就回报一个热情的微笑，并且热情中还包含着某种只有他们俩才意会到的神秘。天涯常客想，要是没有刚才那该多好呀。于是就感叹，天底下该有多少像海伦这样的女人呀，穿着衣服的时候是一个样，光了身子又完全是另一个样。看来，人与人之间确实是需要距离的。有些女人只能远看，不能近瞅，起码不能光了身子瞅。如果不是光了身子瞅，谁能想象海伦那突出的膝盖、干瘪的屁股和异军突起的小肚子呢？

"你喜欢在哪里洗脚？"天涯常客假装轻松地问。

"我随便。"海伦说。

"你们家附近有没有好一点的洗脚屋？"天涯常客问。这样问的意思就是想尽快远离他自己的家，尽可能接近海伦的家。只有这样，在洗脚之后，才能"自然而然"地送她回家，不必再带她回到方卉园。而如果是在方卉园门口洗，洗完之后，海伦要是跟着回来，天涯常客有什么理由不同意？

海伦不知道是计，想都没有想就说："有，一风塘。"

"好，就去一风塘。"

一风塘天涯常客知道，还真不错，特别是最后敷小腿的那个姜沫，肯定不是假货，第一次敷的时候，总让人担心皮肤被烫伤。

一风塘在彩田路。天涯常客一踩油门，上了北环。北环没有红绿灯，完全像高速公路，却从来没有收过费。常年住深圳的人对此熟视无睹，只有像天涯常客这样经常在全国各地游荡的自由人士，才能体会住在深圳的实惠。

两个人在洗脚的时候，天涯常客忽然像是对海伦的工作发生了兴趣,别的不谈,专门跟海伦谈她们代销的那种化妆品的事情。由于天涯常客谈得特别认真,特别投入,惹得捏脚的两个小姑娘都产生了兴趣,竟然以为他就是推销化妆品的。既然天涯常客都如此,理所当然就把海伦的工作热情调动起来了,并且海伦的热情一旦调动起来,就比天涯常客更加热情,更加认真,更加投入。毕竟,海伦才是专业的嘛。于是,海伦又滔滔不绝地谈起了皮肤护理知识和她推销的那种化妆品,并且把刚才吃饭的时候说的那些话忘记了,或者她并没有忘记,而是担心天涯常客忘记了,现在又再说一遍。

尽管再好的故事一个晚上听两遍也是遭人烦的,但天涯常客那天晚上的表现特别,他居然听得津津有味,至少表面上是津津有味。当海伦又说到一套产品480元的时候,天涯常客没有让她再往下说,而是一把抓住机会不放,说:"好!我买一套,先买一套试试。"根本就没有等到海伦说年卡和累计奖励的内容,立刻掏出5张100的,递过去,颇有一点强买的意思。

海伦没有反应过来,疑惑地看着天涯常客。天涯常客一脸无辜,像他们之间什么事情都没有发生,就是推销小姐与用户之间的单纯关系,又像他根本就没有说过要办一张卡一样,真诚地把钱递到海伦的跟前。

当着两个洗脚妹的面,海伦好像并不习惯这样收取客户货款做法,但是,天涯常客如此执著,她又不能不接,僵持了大约10多秒钟,还是接了。

"但我现在包里面没有整套产品呀。"海伦说。

"没关系,"天涯常客说,"你就把已经开封的这套给我。"

说完之后,大约是为了进一步封住海伦的嘴,他以开玩笑的方式,爽朗而大声地对着两个洗脚妹说:"这是我的经验,凡是她们用过的,肯定是最好的,样品嘛,不可能用假货。"

两个洗脚妹显然并不知道天涯常客和海伦之间刚才发生的一些事情,这时候听天涯常客这么说,还很开心,甚至很赞同,马上就笑着点头,

摆出一副她们也想成为海伦产品的客户或她们是非常赞成天涯常客观点的样子，无形当中对天涯常客起了助威的作用，弄得海伦不得不把包里的那套用过的化妆品一件一件取出来，又吩咐洗脚妹找一个塑料袋来，替天涯常客装好，算是当场两清了。

真的就两清了吗？

第二十一章　女人是要"有点"精神，但更需要大量物质

　　与海伦的事情了结之后，至少在天涯常客自认为是了结之后，他的感情世界出现了暂时的空白。这段时间天涯常客比较沉闷，也比较纳闷，其实纳闷的时候就比较沉闷。天涯常客纳闷在他和阿力宝没有分手之前，身边有那么多的女人态度暧昧，怎么阿力宝走了之后，突然之间一个都没有了呢？

　　所谓"暧昧"，在天涯常客看来，就是像娃娃头那样，或类似娃娃头那样，给天涯常客的感觉是如果他没有老婆了，那么对方就有可能嫁给他。或者像海伦那样，假如天涯常客主动进攻了，那么她就有可能半推半就。但是，现在阿力宝真的走了之后，天涯常客身边这些"暧昧"或有点"暧昧"的女人一下子全部没有了。于是，天涯常客就纳闷，非常纳闷。

　　天涯常客爱琢磨，有意识地琢磨，没当作家之前就爱琢磨，当了作家之后更加爱琢磨，因为他听说文学是人学，所以作家就应该喜欢琢磨。关于他身边突然没有态度暧昧女人的现象，天涯常客琢磨出两种可能。

一种是所谓"暧昧"本身就不是客观存在的,而只是他自己的一种错觉。那时候阿力宝还没有离开他,但两人之间的感情裂痕已经产生了,天涯常客就担心阿力宝会离开他,所以,他主观上就产生了幻觉,幻想着一旦阿力宝离开他,那么身边的这些女人都有可能嫁给他,甚至是争先恐后地嫁给他。或者,当他感受到阿力宝对他冷淡的时候,就想象着其他女人对他的热情,这种反差让他做出一种判断,如果他主动,那么别人就会半推半就。幻想是有反射功能的,就好像作用力和反作用力一样,比如当你特别注意看某个人的时候,就会发现这个人也正好在注意你。所以,当天涯常客对周围的女人产生幻想的时候,真能产生某种效应,这种效应又反过来加深他的错觉。如果这种假设成立,那么当初在天涯常客身边,客观上并不存在一群真正对他态度暧昧的女人,存在的只是他自己的感觉和这种感觉的反射罢了。

另一种可能是当初确实存在这样一群女人,如果没有,怎么解释娃娃头确实和他成为"朝着婚姻方向发展的"女朋友,又怎么解释海伦确实和他上床了呢?所以,天涯常客宁可相信这种情况确实是存在的,而不仅仅是他自己的主观臆想。但是,当阿力宝真的离开他之后,也就是当这种暧昧有条件兑现的时候,这些女人思考问题的基点就发生变化了。以前是浪漫的,现在是现实的;以前是纯精神世界的,现在必须面对物质世界。而作家的精神世界丰富,物质世界并不丰富,所以,一进入物质状态,作家特别是所谓的自由作家的短处就暴露出来了。当然,作家也有物质丰富的,比如海岩、二月河、张贤亮就物质丰富,但是在天涯常客看来,海岩、二月河是少数中的少数,特例中的特例,而张贤亮其实已经不是作家了,已经由作家转变成企业家了,天涯常客显然不是海岩和二月河,也不是张贤亮,甚至跟张贤亮的情况正好相反,由企业家转变成作家了,所以,现在一面对现实,面对物质世界,天涯常客的短处就暴露无遗了。但

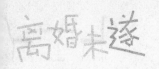

这些女人显然不愿意承认这点,如果承认,不等于承认自己只爱物质不爱精神了吗?所以,她们对天涯常客的态度由暧昧变为回避,在天涯常客的面前玩消失,或者没有消失,但是变得异常客气了,客气到天涯常客不能对她们开口要求兑现暧昧的程度。

天涯常客是不甘寂寞的人,于是,这段时间他表现为爱喝酒,请九月半和叶小舟他们喝酒,也凑到九月半和叶小舟那边去喝酒,并且他只能跟九月半和叶小舟这样的文人喝酒,不能跟张正中和李书记这样的老板或官员喝酒,因为跟他们喝酒,他们一定以为天涯常客找他们有什么事,而其实天涯常客没有什么事,就是喝酒。再说,天涯常客请九月半和叶小舟这样的文人喝酒他能请得起,而请张正中和李书记这样的老板和官员喝酒他承担不起,因为老板或官员的一道菜就抵九月半或叶小舟他们的一桌菜,甚至一个月的伙食费,所以,天涯常客只能和九月半、叶小舟他们喝酒。

难道这就是人以群分?难道现在天涯常客已经变成地道的文人了?或者经济地位已经降格到文人的档次了?并正在慢慢远离老板和官员的档次?

天涯常客有些伤感。难道当初的选择是一个错误?

天涯常客曾经为自己的选择津津乐道。他曾经对张正中说,这个世界上绝大多数人一辈子并不知道自己到底喜欢做什么,比如你,就真的最喜欢做老板吗?还有一些人虽然知道自己最喜欢做什么,但是做不了,比如我。天涯常客说,我小时候最喜欢放电影,但是最终连电影机都没有摸过;另外还有一些人知道自己喜欢做什么,并且也果然能做那项工作了,但是却做不好活受罪,自己受罪,别人也跟了受罪。比如有那么多人喜欢做官,并且也真的投机钻营成为官了,但是,他们真的愉快吗?真的就造福一方了吗?显然不是,起码大多数官员不是。于是,天涯常客就对

张正中说，他自己就是世界上最幸福的人，因为他现在终于知道自己最喜欢文学，并且他现在也果然成为作家了，更为难得的，是他现在觉得自己做得得心应手，非常愉快。

天涯常客当时对张正中说这番话的时候，张正中点头，认真地点头，承认他说得对，并且承认天涯常客事实上比他幸福。

张正中当时这样点头和承认到底是出于礼貌还是发自内心天涯常客并未深究。毕竟，只是朋友之间的闲谈嘛，但是今天天涯常客对自己的"高论"产生了怀疑。当他真的需要一个女人和他终生相守而那些曾经对他表示暧昧态度的女人突然在他面前消失或变得非常客气的时候，天涯常客开始怀疑自己了。

天涯常客在与九月半喝酒的时候，提出了这个疑问。九月半说，你讲的没有错，你确实是这个世界上最幸福的人，一个人知道自己最喜欢做什么并且能够做而且能做好，当然是最幸福的了。至于你说女人，女人都愿意和作家成为朋友，甚至是情人，但是，当她们要选择嫁给作家做老婆的时候，当然要考虑了，人是需要有点精神的，但只是需要"有点"精神，而大量需要的，却是物质，毕竟，物质是基础嘛。深圳如此，内地也如此。中国如此，外国也如此啊。

天涯常客一听，明白了，明白人是需要朋友的，如果没有朋友，就是这个"有点"和"大量"，需要消耗他多长时间来琢磨呀。

明白了之后，天涯常客决定面对现实，同时，又不打算完全放弃理想，于是，他准备征婚，公开地征婚。天涯常客相信，偌大的深圳，一定有像他一样为文学发狂的女人，并且是好女人，只不过这样的好女人没有恰好出现在他身边罢了。所以，他要征婚，公开地征婚。

天涯常客曾经写过一本书，书名就叫"征婚"。这本还在深圳商报上连载过，所以，有一定的影响，至少在深圳有一定的影响。但是天涯常客没想到,如今他自己真的像小说中的人物孙传宝一样,要去征婚了。难道这一切都是冥冥之中安排好的? 甚至是报应? 如果真是报应,天涯常客想,那么是好的报应还是不好的报应呢? 在那本小说里,孙传宝最终还是在婚介所里找到了自己的爱情,天涯常客现在就祈祷自己能有小说中孙传宝的命,也能够找到自己的爱情。

天涯常客自以为很坦荡,一进婚介所,立刻就亮出自己的真实身份,说他就是《征婚》的作者,有内封上照片为证。婚介所老板娘当然认定他是开玩笑,所以就笑,不信,但仔细核对照片之后,又不得不信。信了之后,马上就给天涯常客塞红包,请他高抬贵手,不要为难她们。

"这怎么是为难你呢?"天涯常客问,"难道我就不能来征婚吗?"

"我知道你是来找素材了,但我们这里确实是规矩的婚介所,不是婚骗所。"老板娘还是不相信天涯常客是真的来为自己征婚的。

"我相信你是规矩的婚介所,不然我还不来呢。"天涯常客说。

老板娘眨巴眨巴眼,问:"你真是想征婚?"

"不是'想'征婚,是真的'要'征婚。"天涯常客说。

老板娘想了想,说:"如果你不是闹着玩,是真要征婚,那么,我就真的帮你穿针引线,并且不收服务费。"

"那不行,"天涯常客说,"我是真的要征婚,你想想,小说我都写完了,出版了也转载了,我还要什么素材呀? 有那闲工夫,我不知道再写一本'离婚'吗?"

老板娘又想了想,似乎想明白了。说:"这样,我也不管你是真是假了,你只要把离婚证或未婚证拿出来,我就当你是真的,就免费为你服务。"

第二天,天涯常客真的就把自己与阿力宝的离婚证拿过来,给老板娘看。老板娘一看,马上就说是真的。天涯常客觉得奇怪,问她怎么看出

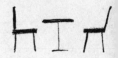

来是真的。

　　"看日期，"老板娘说，"你这个日期这么近，不可能是假的，如果是假的，肯定不会把日期做这么近。"

　　天涯常客一听，服了，感叹做哪一行都有学问啊。

　　老板娘说话算话，坚决不收天涯常客中介费，无论天涯常客执意坚持她都不收，但是却提出了另外一个条件，要天涯常客把那本书留下，也就是把《征婚》留下。天涯常客当然同意。事实上，就是老板娘不说，他也打算留下的。

第二十二章 征 婚

　　婚介所的老板娘显然还真把天涯常客的事情当作一回事，这从她们为天涯常客介绍的几个对象就能看出来。

　　婚介所为天涯常客介绍的第一个对象是他的崇拜者。当老板娘把这个情况告诉天涯常客的时候，他不信，想着既然是崇拜者，干吗不通过出版社或杂志社写信给我，还要通过婚介所来介绍？尽管不信，但是见见面也无妨。见面一聊，信了，因为对方见面的时候竟然带来他的好几部小说让他签名。天涯常客自然喜出望外，几乎忘记自己是来干什么的了。

　　不用说，那一次天涯常客是高兴的，凡是遇到喜欢他的书的人，他都高兴。但是，高兴之余，天涯常客清醒地意识到他跟崇拜者的关系发展不下去，主要原因是天涯常客爱美，而这个崇拜者谈不上美。大扁脸，脸上还有许多雀斑，并且上半身长，下半身短，笑起来鼻窝和眼角都有明显的皱纹。天涯常客甚至想努力说服自己与她相处，想着娶一个崇拜者做自己的老婆也是一件非常美妙的事情。但是，他说服不了自己，不喜欢，不

想亲近,没有冲动,没有欲望。

当天涯常客把自己的决定委婉地告诉婚介所老板娘的时候,老板娘连忙说对不起,说她早知道天涯常客不会看上这个女孩,但是没有办法,女孩一定要见他,老板娘就只好同意了。

"这么说你把我的资料公开了?"天涯常客很警觉。

天涯常客当初委托她们的时候,就要求个人资料不要公开,老板娘也答应了,答应只有她认为比较合适的,才把天涯常客的个人资料透露给当事人,而不是把他的资料对所有的会员公开,但这个崇拜者显然不属于"比较合适"的,天涯常客对对方的第一个要求就是漂亮,他跟老板娘说过的。

"没有呀。"老板娘说。

"没有,她怎么知道我的?"天涯常客问。

"这个呀,"老板娘解释,"她不是我们这里的会员,是我的一个朋友,我在她家里玩,发现她看你的书,她听说你也来征婚,就吵着要见你的。"

天涯常客说,这不是胡闹嘛。

但事已至此,再追究老板娘的责任没有任何意义,只是一再要求老板娘下不为例。

老板娘说好,下不为例,不漂亮的绝对不向他引荐。

第二个应征者果然漂亮,相当漂亮,眼睛大,而且对称,眼睫毛长,并且乌黑,这样,眼珠子就黑白分明。关键是精神抖擞的样子,活泼,看上去年轻,一点也看不出有三十多岁。天涯常客甚至疑惑,这么漂亮的女人也需要通过婚介所来征婚?并感叹中介服务其实是相当重要的,不要说商业往来了,就是男女婚姻介绍,效率也比自己满大街瞎碰运气高太多了,要不是通过婚介所,天涯常客要想认识这么漂亮的女人,得费多大劲呀,花多少冤枉钱啊。

　　说实话，天涯常客一见，马上心里就愿意了，愿意交往下去，并且暗自庆幸自己运气太好了，甚至还想着怎么样感谢一下老板娘。他甚至感叹，男人都是浮浅的，都是只看外表不看实质。女人只要漂亮，男人一般都希望交往下去，哪怕交往之后并没有成功也愿意。失身也不怕，反正不吃亏。所以，天涯常客仅仅凭外表就希望和这个漂亮的女人有所交往。

　　但是，对方没有看上天涯常客。而且，这位美女不像天涯常客那么肤浅，她不是以貌取人，而是问了一些实质性问题。比如问，你有没有房？有没有车？多大的房？什么车？房子在什么位置？车子几成新？多少存款？有没有股票？什么股票？多少股票？等等。天涯常客当然是如实回答。回答完之后，女人说话了。女人说："不对呀，老板娘说你出了十几本书的呀！"

　　天涯常客说："是的，我确实是出了十几本书。"

　　"那你应该是大款呀。"女人又说。

　　"怎么是大款？"天涯常客不明白。

　　"就算一本书赚几十万，十几本书也是几百万呀。"女人说。

　　天涯常客惭愧，非常惭愧，承认自己不是名人，也不是美女作家或美男作者，一本书根本赚不了几十万，平均几万就了不得了，所以根本达不到女人说的大款标准。

　　女人听了天涯常客的解释之后，很感动，说："看来你是个老实人，这个世界上像你这样的老实人越来越少了。既然如此，我也不想骗你，本来我只想嫁给香港人的，听说你出了这么多书，而且还能继续出书，想着比香港人也不差了，所以才答应见面的，没想到你比我还穷，算了，这顿咖啡我请了。"

　　说得天涯常客茫然，茫然地看着她做了一个漂亮的手势，优雅地买单，然后起身告辞，款款而去，像一缕飘逸的风。

　　天涯常客后悔。早知道如此，干脆吹嘘一把，把自己吹嘘成大款，先

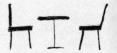

交往交往再说。可是，后悔没用，对方已经走了，再追回来吹嘘她也不会相信了，只好作罢。

第三个差点成功。

婚介所为天涯常客介绍的第三个对象是一名小学教师，准确地说是一名小学音乐教师。

这里强调是音乐教师很重要，因为在深圳做小学音乐教师一是说明她漂亮，二是说明她有钱。

说明漂亮比较好理解，因为深圳对人才的要求比较苛刻，正规的小学教师一般都是大学本科毕业，正规的小学音乐教师基本上都是师范大学艺术系或音乐学院艺术学院毕业的，学艺术的女人一般都比较漂亮，而且比较有味道。所谓"味道"，只能意会不能言传，大概就是一般男人喜欢的那种气质、风度和说话方式甚至包括身上的气味吧。

至于为什么说音乐教师比较有钱，这里需要解释一下。因为如今深圳有钱了，有钱之后，就要追求生活的品位，所以，整个深圳现在已经被打造成了一个"钢琴城"，真正具有深圳户籍的家庭，基本上都买了钢琴。没有小孩的，买钢琴可以是一种摆设，就好比买一盆名贵的花草或一件价格不菲的古玩一样，老婆偶尔上去敲几下也能提高夫妻生活的情趣。有小孩的家庭，当然是为了让孩子用，哪怕该孩子根本没有音乐天分，也要让她学，学了至少可以增长见识，可以在小伙伴们面前不落伍。特别是深圳出了钢琴王子李云迪之后，学习钢琴除了提高品位之外，似乎还昭示着一个美好前程，于是，无论是大人还是小孩，买钢琴学钢琴的热情更加空前高涨，比当年买股票的热情还要高。如此，深圳的音乐教师就成了抢手货，业余时间带几个学生是最正常不过的事情了。据说李云迪的老师但昭义现在一个小时五百块钱还请不来，作为一般的音乐教师，即使一个小时拿他的十分之一，随便带几个学生，月收入就超过在学校的正

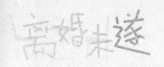

工资,不能算有钱吗?

天涯常客喜欢音乐教师不是看上她的钱,而是看上了她这个人。音乐教师虽然没有前面那个决意要嫁给香港人的女人年轻,但也绝对属于漂亮的,并且似乎比前面那个女人更有味道。怎么说呢?前面那个女人虽然漂亮,但一看就比较势利,属于只打算凭着自己漂亮的脸蛋吃饭的那种。而音乐教师不但漂亮,而且一看就是有事业的人,很干练的,天涯常客更喜欢。

接受教训,这次天涯常客留了点心眼,不打算一味地"老实"了,因为他发现,"老实"只能博得同情,不能获得美满的婚姻。天涯常客现在需要的是自己满意的婚姻,而不是同情,所以,他打算要点小心眼。当然,天涯常客是文人,不是骗子,所以,即便是要心眼,也有限度,具体地说,就是扬长避短,有选择地说真话,而不是骗人。

第一次见面的时候,天涯常客故弄玄虚,没有说几句话,就先把单买了,说自己还要到五洲宾馆参加一个招待会,匆匆告辞。

当时天涯常客确实是要去五洲宾馆参加一个招待会,但那是一个可参加可不参加的招待会,具体地说,那是一个内地城市来深圳招商引资的招待会。这样的招待会其实并没有什么效果,但仍然经常搞。搞了,就说明某地的领导思想解放与时俱进了;搞了,当地的官员就可以堂而皇之地来深圳玩一圈了。考虑到现在从深圳到香港非常方便,所以,这些官员不仅可以在深圳玩一圈,而且还能顺便去香港考察一下各种娱乐场所和购物中心,所以,近两年这样的招待会不但没有减少,反而大幅度增加。像这样的招待会,如果天涯常客想参加,天天都可以参加,所以去不去无所谓。天涯常客之所以要早点告辞,就是想制造神秘感,给音乐教师留下一个他日理万机的印象。因为在深圳,如果你忙,如果你日理万机,就说明你重要,相反,要是成天闲着无所事事,就说明你不重要。天涯常

客与音乐教师匆匆见面,就说明他忙,说明他日理万机,说明他重要。另外,他告辞的借口也有讲究,只说去五洲宾馆出席招待会,而没有说明是出席什么样的招待会,也是他要了心计的结果。事实上,五洲宾馆很大,那天除了天涯常客出席的那个招商引资招待会之外,还有深圳市政府招待各民主党派人事的宴会,天涯常客说自己去五洲宾馆出席招待会,很容易让对方理解是去参加市政府举办的什么重要的招待会,无形当中又提高了自己的身价。

第二次见面,天涯常客进行了精心的准备,把见面的地点选择在南山书城。深圳的南山书城后来居上,比原先的罗湖书城大,据说是目前全国最大的书城,整整十层。天涯常客把见面地点选在南山书城,当然不是考虑到它的规模大,而是那里有他一个专门的书柜,就跟早些年台湾女作家琼瑶的专柜一样。天涯常客就是想借这个专柜来进一步抬高自己。

要说这个专柜,还与上次他去广州学习有关。上次天涯常客为了评文学创作高级职称,去省作协参加继续教育培训,在培训期间,有一个湛江的作家邀他一起去广州天河书城,说是那里有他的书卖,并说如果天涯常客陪他一起去,那么他就买一本送给天涯常客。因为天涯常客是自己开车去广州的,有车,方便,所以那个作家就请天涯常客和他一起去。天涯常客去湛江玩的时候曾经麻烦过人家,现在磨不开面子,于是就陪他去了。谁知道去了之后,那个作家的书没有找到,却找到天涯常客的书,而且一下子看到自己的五本书,并且每一本都是一大摞,这样,整体上就是一大排的感觉。天涯常客没想到自己的书也能够成排地在书店里卖,好比在纽约的大街上突然碰见自己的儿子一样,非常激动,激动得当场买了几本送给那个作家朋友。回到深圳后,他立刻就去了南山书城,见南山书城也有他的书,但是放得比较散,不成规模。于是,他建议工作人员打破原来的常规分类,把他的书全部集中在一起,说这样更好卖。所以，现在深圳的南山书城，就有一个天涯常客的专柜了，享受当年琼瑶的同等待遇。天涯常客把音乐教师约到这里见面，其实就是想扬长避短，有选择地让音乐教师看他的专柜。因为他太喜欢音乐教师了，同时又担心音乐教师看不上他，他一无权二无钱，在深圳属于典型的弱势群体，要想博得音乐教师的欢心，就只能靠这些东西了。

音乐教师到底是知识分子，见到专柜之后，果然就对天涯常客表现出了好感，于是，两人的关系就有了一定的进展。所谓一定的进展，就是双方开始谈实质性问题。

音乐教师告诉天涯常客，她有一个十岁的孩子，男孩，说这是她至今没有再婚成功的最大原因。

天涯常客点头，表示理解。平心而论，他也不希望再婚的老婆带着一个孩子，特别是男孩。男孩调皮，不听话，淘气，而且还同性相斥，长大了跟继父打架也是说不定的。关键还要负责到底，将来帮孩子找老婆买房子也说不定。但是，有得必有失，凭天涯常客自己的条件，要想娶音乐教师这样才貌双全的女人做老婆，不做出点牺牲是不可能的，所以，天涯常客还是打算往下处。

"你打算找一个什么样的男人？"天涯常客问。

音乐教师先叹气，然后才说，她一个人带孩子很累，真的很累，所以，想嫁个好男人靠一靠。

天涯常客问什么样的男人是好男人。

音乐教师说要有责任心，有爱心，爱她，还爱她的孩子。

天涯常客抓住机会，当即表示：如果他们结婚，那么他就保证对她的儿子尽一个做父亲的责任。

音乐教师一听，高兴得把眼睛和眉毛笑成了月牙形。

"真的？"音乐教师问。

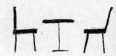

"真的。"天涯常客说。说得很认真,不像是敷衍。

"太好了!"音乐教师说,"如果这样,我就不用太辛苦了,不用再给那些臭小子们上课了,一点音乐细胞都没有,还要学钢琴,我就烦透了。要是你能让我靠一靠,我就不想教他们了。"

天涯常客愣了一下,准确地说是犹豫了一下,问:"你带学生一个月收入多少? "

"一万。"

"工资呢? "

"五千。"

"那你现在一个月的收入有一万五呢。"天涯常客说。

"是啊,"音乐教师说,"要不然怎么过。"

"你现在一个月要用多少钱? "天涯常客又问。

"为儿子存五千,剩下的全部用完了。"

"为儿子存五千? "天涯常客问。

"是啊,"音乐教师说,"我一个女人,谁知道哪一天会怎么样? 现在不为儿子存点钱怎么办? "

天涯常客心里盘算了一下,音乐教师等于把自己的全部工资存着留给儿子了,然后靠教学生学钢琴的收入做生活开销。如果嫁给天涯常客后,女教师刚才说了,她将不再业余带学生了,也就是不带那些臭小子们了,没有这笔收入了,全靠天涯常客,他能承受得起吗? 看来做牺牲也是要有能力的,光有牺牲精神还不行。

"你一个月要用一万块? "天涯常客又问。

"这还算多吗? "音乐教师说,"我同学她一个人,老公每个月给她的零花钱就一万,我这还是一个家呢。养车、养房、养保姆。还有孩子的花消和我的化妆品和日常开销七七八八,我是够节约的了。"是够节约的,跟

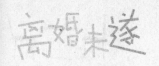

她那个同学相比音乐教师确实是够节约的,跟深圳的很多像她这样漂亮这样有味道的女人相比她也是够节约的了。但是,要天涯常客每个月给她一万块钱,弥补她因为放弃业余带学生而失去的收入,天涯常客做不到,主要是没有能力做到。除非天涯常客决定放弃当作家,重新当小老板或给大老板当助理去。绕了这么一个大圈,为了一个女人,难道又要走回到老路上去?

不用说,又没搞成。

事不过三,天涯常客不好意思再麻烦婚介所了。毕竟,婚介所的老板娘没有收他的钱;毕竟,天涯常客已经知道是怎么回事了。万变不离其宗,从本质上说,自己在深圳明明是弱势群体,却偏偏还想要找强势的老婆,可能吗?

如此,天涯常客就找不到老婆了?至少在深圳就找不到老婆了?天涯常客现在每年的收入差不多是十万,如果在内地,比如在自己的老家安徽,或者是在武汉,虽算不上大款,但起码也能说得过去,至少不会算弱势群体,想找一个条件比较好的老婆当然不成问题,但是在深圳就肯定不行了。

天涯常客开始想到是不是要离开深圳的问题了。

第二十三章 文化容量和"腐败理论"

 有感而发,天涯常客又想写小说了。这次小说的名字就叫《逃离深圳》。写深圳的文化容量有限,养不了文人,所以不少文人被迫离开深圳的故事。

 天涯常客主张作家只写自己熟悉的生活,现在《逃离深圳》就是他最熟悉的生活。当然,天涯常客不写他自己,因为他的故事不具典型性,他自己目前还没有逃离。他想写陈可可。

 陈可可是来自湖南乡下的女孩,在深圳写散文写诗歌写小说打拼了很多年,成效不大,最后选择了逃离。逃到沈阳之后,立刻就写出名了,先是《水乳》,后是《取暖行动》,两炮打响,一举获得了华语传媒大奖,于是,广州的媒体报道了,深圳的媒体也报道了。这时候,恰好深圳提出要"文化立市"的战略口号,陈可可选择回到深圳,以为深圳的文化界要扎凯旋门欢迎她,或者不扎凯旋门,但是可以像上海人民欢迎奥运会冠军陶璐娜那样欢迎她。回到深圳以后,虽然没有看见凯旋门,也没有看见像上海人对陶璐娜那样的笑脸,但欢迎还是明显的,不仅让她拿到了各项大奖,而且广播、电视、报纸连篇累牍进行了报道,频频露脸。且陈可可本人也很乖巧,不仅反复强调是深圳火热的生活激发了她的创作热情,而且赞美深圳是写作人的天堂,与余秋雨大师"深圳是中国文化的桥头堡"理论相呼应。但是,热闹之后,并没有解决任何实际问题。具体地说,就是没有给她一份能填饱肚子的工作。刚开始她还玩矜持,还不好意思说,还以为不需要她说的,有关部门就会自动为她安排一份对口的工作,比如《特区文学》的编辑甚至副主编之类。后来发觉并没有这回事,而自己的口袋却越来越瘪,肚子越来越饿,只好撕破脸,说了,说她其实就想找一份能养活自己并且最好能与文学有关的工作。陈可可是对媒体公开这么说的,所以很多人都听见了,包括天涯常客也听见了。天涯常客听见之后,就非常感动,感动这样一个有才华并且还算漂亮的女孩,不想趁年轻和盛名找一个好男人靠一靠,而想着自己找工作养活自己,养活自己大脑里面的文学,实在可敬。事实上,那段时间被陈可可感动的深圳人不止天涯常客一个,真有很多人在为她的工作奔波,真的想帮她。但是,凡是被她感动的并且想为她的工作出力的人,基本上都是没有权力的文人或没有多大权力的准文人,而那些真正能改变陈可可命运的人由于需要管的事情太多,像华为集团总部要迁往上海,平安保险公司总部要迁往北京,甚至证券交易所传闻要迁往广州这样的大事情还没有来得及管呢,哪里有闲心来管一个刚刚出名的女作家的工作问题?如果那样,那不是跟上面倡导的抓大放小和一切为经济让路的精神不符吗?所以,最后的结果是陈可可为了肚子,只好再次逃离深圳。但是她舍不得跑得太远,而只跑到广州,在广州的《写作》杂志社当了一名编辑。

天涯常客想通过《逃离深圳》说明这样一个问题:经济建设或许可以大跃进,但文化发展不能大跃进,一个城市的文化建设靠大跃进是无论

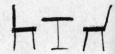

如何也上不去的，上去了也是空中楼阁，虚的，立不住。因为文化是需要沉淀的，而沉淀是一个漫长的过程。像陈可可这样的作家，她的要求并不高，只是想通过自己的劳动养活自己，同时又不愿意放弃文学，至少不完全放弃文学，所以，她只是想找一个与文学有关的工作。但是，就是这样一个简单的要求，深圳都没有办法满足她。为什么？是深圳不重视文化吗？不是。其实深圳非常重视文化，要不然每年都搞读书月？并且在读书月的基础上，又举办文博会？是没有人帮她吗？也不是。事实上，很多人想帮她，包括一些有一定权力的文化官员都想帮她。那么，到底是什么原因迫使她最终不得不逃离深圳呢？天涯常客认为，是文化容量。是深圳的文化包容量太小，实在没有足够的岗位来满足那么多文化人的需要。为什么会产生这种现象？追根溯源，天涯常客认为，深圳是改革开放之后突然冒出来的，没有经过计划经济时代。或者说，是没有经历过由国家大量投入创建文化基础积累的时代。所以，深圳没有像广州、武汉、沈阳、西安、南京、长沙那样沉淀了几十所大学，几十家杂志社或出版社，几十个中国科学院、中国社会科学院和国家各部委下属的研究院或研究所，几十个解放军各军兵种所属的科研院所和大专院校，所以，没有那么多稳定的岗位容纳大量的知识分子或文化人。偌大的深圳，无论是人口还是经济实力都远远大于武汉等许多省会城市，竟然只有一所同样没有沉淀的综合性大学，只有一家同样没有历史的文学杂志，只有一家没有资格出版纯文学作品的出版社，又怎么能容纳那么多本土产生的或从内地迁移来的文人从事与文化有关的职业需求呢？所以，尽管深圳确实是一片热土，确实是一片容易激发文人创作灵感的热土，也确实造就了一大批迅速崛起的作家，他们要么就是没有工作，要么就是从事与文学几乎没有任何关系的工作，这么多人，深圳拿什么去容纳他们呢？深圳的社会主体是企业，而企业都是以经济效益为中心的，有多少企业愿意养一个并不能产生经济效益却很有可能把他们问题捅出去的作家呢? 所以,最后的结果只是一个——逃离深圳。事实上,他们中的很多人已经逃离或正在逃离,并且还要继续逃离。这是客观事实,是历史的必然,这种现象的产生,并不说明深圳不重视文化,更不能说明深圳不重视文人,但重视是一回事,容纳是另外一回事。重视是给他们荣誉,是精神层面的,容纳是给他们饭碗,是物质层面的。当一个人没有饭碗的时候,他们是享受不了精神荣誉的。

天涯常客又激动了。为自己的构思激动了。按照常理,他又要一气呵成了。但是,他没有下笔,不敢动笔。因为他是深圳作家,他不能得罪深圳。或许他写出来之后,甚至出版了之后,并没有得罪深圳,更没有得罪深圳人,因为深圳人的素质都比较高,深圳的领导素质更高,很多处以上领导都是博士甚至博士后, 他们应该懂得这样的小说并不是针对深圳的,更不是针对深圳的某个领导或某个班子的,但是,天涯常客仍然不敢动笔。因为并不是所有的领导都是心胸开阔的,并不是所有的领导都能理解他。假如十个领导当中有九个能理解他,只有一个不理解,那么,当他们想帮一个人的时候,九个可能都不够。可是,当他们想整一个人的时候,一个就够了,足够了。这就是天涯常客所害怕的。这就是他的局限性,也是作为一个作家的局限性,甚至是中国人的局限性。

不能写,不敢写,却又被自己的构思点燃了,十分想写。被点燃了却不能燃烧,这种滋味叫煎熬。

天涯常客现在就经受煎熬。说实话,要不是省作协及时吹来一阵清风,天涯常客恐怕就要爆炸了,或者真的像陈可可那样逃离了。

省作协的清风是他的文学创作二级职称被顺利通过。

这阵清风不仅让他暂时结束煎熬,而且改变了他对当今社会的整体认识。具体地说,就是让天涯常客放弃了自己的"腐败理论"。

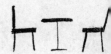

　　"腐败理论"是天涯常客自己"发明"的。在此之前,他认为如今的官员都是腐败的。他甚至在一篇小说当中间接地阐述过这个"理论",借用小说中人物的口,说如今的领导几乎都是腐败的,反贪局要想发财,最直接的办法就是抓人,见到处以上领导就抓,抓起来也不用审,就等着他家里人来送钱,如果真的送了,目的达到,就放人;如果对方不识时务,不送钱,那么就调查,只要一调查,绝对能找出茬。其实不仅在小说当中,就是在现实生活当中,天涯常客也能用他的"腐败理论"解释很多社会现象。比如他们家门口有一条路,路面坏了,明明进行简单的维修就可以,但有关部门却偏偏把路连根撬掉,从路基重新做起。当时他和阿力宝还没有离婚,他们每天晚饭之后还出去散步,于是阿力宝就抱怨,说好好的路被撬掉了,不方便散步了,同时疑问,有关部门的领导怎么这么笨? 天涯常客说不笨,是聪明。阿力宝问怎么是聪明? 天涯常客立刻用他的"腐败理论"作出"合理解释",说把表面损坏的路连根撬起需要花钱,再从路基重新做起更需要花钱,要花很多的钱。

　　"那不是很笨吗?"阿力宝说。

　　"不笨,"天涯常客说,"因为花出去的钱是公家的,准确地说是纳税人的,但工程回扣或'业务介绍费'是个人的。准确地说是有关部门领导的,你能说这些当领导的笨吗? "

　　但是,这次天涯常客被评定高级职称之后,他的认识马上就有所改变,意识到他以前的"理论"有点偏颇。因为他自己知道,这次他评定高级职称没有行贿过任何人,也没有走过任何关系。事实上,他也没有任何关系可以走。如果按照他的"腐败理论",那么,他就不应该评上高级职称。因为只要有关部门不积极,那么他就评不上高级职称了。

　　前面说过,天涯常客是在正式申报高级职称之前才加入省作协的,如果当时没有及时加入省作协,那么他就没有资格申报了。当时省作协以积极的态度用特快专递把表格寄过来之后，天涯常客先是找居委会盖章，没有盖成之后，去找市作协。市作协很支持，立刻就帮他盖章了。但由于他在居委会那里耽误了一天时间，所以，当他在市作协盖好章之后，已经很晚了，而加入省作协要经过作协领导签字同意，而作协领导恰好在那一天去法国参加中国文化年活动。即使天涯常客再用特快专递寄回广州，也来不及了。当时天涯常客很着急，以为办不成了。但省作协那边的工作人员仍然很积极，鼓励他不要放弃，说省作协领导为了节省费用，经香港去法国，路过深圳，还有补救办法。并且立刻就打电话与领导联系，说明情况，领导也很积极，马上就答应了。那天正好下大雨，省作协领导冒雨赶到约定地点，赶着帮他签字特批，连烟都没有抽他一根。这是天涯常客的"腐败理论"能解释的吗？所以，他现在放弃了"腐败理论"。

第二十四章 年龄不是问题

除了放弃"腐败理论"之外,评上高级职称的另一个收获是让天涯常客获得了一次恋爱机会。

天涯常客拿到广东省高级专业技术资格证的第二天,接到了一个电话,一个祝贺他的电话。这个电话是他的老同学打的。所谓"老同学",就是他的小学同学。而天涯常客的小学同学其实也是他的中学同学,因为他小学升初中的时候正好赶上小学"戴帽子",他们是小学中学连在一块上的。

要说这个女同学,跟天涯常客的关系可不一般。主要原因是他们那一届好像也就他们俩上了大学。那时候大学生少,稀罕,而且是十年动乱之后第一次恢复高考。尽管考题比现在简单多了,但矮子里面选将军,毕竟是十年时间才选拔的几个人,就个人天赋来说,肯定比现在一年选几百万强许多。所以,那时候凡是考上大学的都非常荣耀,跟如今获得奥运会金牌差不多。但那时候没有现在开放,小学生根本没有谈恋爱的,中学生谈恋爱的几率比如今的小学生还少,具体到天涯常客和这个女同学身上,他们俩在学校根本就没有说过话。但是,后来他们说话了,考上大学之后,他们俩立刻就成了当地的知名人士。整个学校从老师到同学,没有一个不认识他们的,特别是过春节的时候,去老师家拜年,必定要说到他们俩,如此,他们俩就仿佛非常认识了。认识,但没有联系,主要是没有机会联系,也似乎没有必要联系,直到天涯常客来深圳后,接待内地来的另外一个老同学,他们才碰到一起。这时候,他们的胆子已经变得相当大了,不仅敢说话,而且敢开玩笑,开荤玩笑。当时那个女同学刚好离婚了,于是,天涯常客就说:"你等着,等着我也离婚了,娶你。"女同学回应:"那你要快,慢了我可等不及。"旁边那个内地来的同学说:"那你们就先好着再说。"于是,三个老同学就哈哈大笑。

虽然是开玩笑,但没想到玩笑成真了,现在天涯常客真离婚了。

老同学好长时间没有与天涯常客联系了,这次突然打电话,是因为在报纸上看到了消息,看到天涯常客被评上二级作家的消息,才打电话来祝贺的。老同学一祝贺,天涯常客就想起来了,想起了深圳确实是重视文学,而且重视得彻底,每次有人评上一级作家或二级作家,都要登报宣布,让作家享受学雷锋标兵同等待遇了。

天涯常客不想与老同学谈论这个问题,因为老同学早就是副主任医生了。天涯常客脱离组织多年,没有在中级职称之后继续进步,到现在才评一个二级作家,不好意思。于是就打岔,问:"我们俩什么时候结婚?"

"什么我们俩什么时候结婚?谁跟你结婚呀?"老同学反问。

"你想不认账呀?"天涯常客说,"我可是能找出证人来的呀。"

老同学不说话,没想明白。

"装?"天涯常客说,"要不要把许建友叫过来问?"

许建友就是上次他们在深圳接待的那个老同学,现在在内地当老板

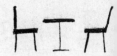

了,用极低的价格收购了他爸爸当书记的一个国有企业,忽悠大了,很有面子,所以来深圳之后才敢嗷嗷叫地主动联系老同学。

天涯常客这么一说,老同学似乎就想起来了,因为她笑了,并且一笑起来,听着就像很年轻。

"你真离婚了?"老同学问。

"废话,"天涯常客说,"男子汉大丈夫说话算数,讲为你离婚就为你离婚。"

"是不是真的呀?"老同学的声音更加年轻,悠扬,每个发音都像音乐,简直是少女了。

"煮的。"天涯常客说,"你要是不相信,今天晚上过来,跟我住一起,住一个晚上不就知道了。"

"住一个晚上能知道什么? 要住就住一个月。"老同学比他嘴硬。

"一年。"天涯常客更硬。

"你真又离了?"老同学仍然不相信。

天涯常客不说话。没有必要一个问题回答两遍。再说,这个"又"字不顺耳,好像他是离婚专业户,不回答也罢。

"那好,说话算数,你等着,我马上离婚,等我离婚了,嫁给你。"

"你又结婚了?"天涯常客诧异,想着深圳那么多三十多岁的老姑娘嫁不出去,她一个四十岁的二婚还一嫁就嫁出去了。

"这是什么话? 等你两年了,难道还要我等到五十? 要是等到五十你还没离婚,那我不是一辈子不嫁人了? "

天涯常客叹气。真叹气,但也是夸张地叹气。

"你要是真离了,我倒可以帮你介绍一个。不过,你不能跟人家闹着玩,人家是规矩女人。"

天涯常客生气了,说:"你太抬举我了。你以为我年轻呢,还是以为我是大款呢？我一不年轻二不是大款，被人家玩没资格，想玩人家没有能力，能找一个伴过日子就不错了。"

天涯常客这样一说，就不是开玩笑了。

在以后的对话中，老同学告诉天涯常客她确实结婚了，老公是一个国外汽车品牌的代理，相当于旧社会的买办，也算是有钱人吧。天涯常客则告诉他，自己被阿力宝抛弃了，现在真想找一个女人好好过日子。最后，老同学说："如果真是这样，我就真帮你介绍一个。"

老同学帮天涯常客介绍的这个女人叫小白兔。

小白兔属兔，比天涯常客小十七岁，正好等于他们那个年代批判的"修正主义教育路线"年岁，也是天涯常客实际接受学校教育的年岁。难道这一切都是巧合？还是天意？天涯常客属狗，大狼狗的狗。于是，天涯常客就喊她小白兔，她就喊天涯常客大灰狼。据说狗和狼本来就是亲戚，而狼狗与狼更是近亲。

他们两个几乎是一见钟情。

天涯常客喜欢小白兔容易理解，事实上真正的男人基本上都喜欢年轻美貌的女孩。当老板的男人性格张扬，喜欢的方式是把人家招为二奶；当领导的男人含蓄，喜欢的方式是给予关怀；天涯常客则这两种情况都不是，所以就想娶回家做老婆。

这小白兔虽然不如音乐教师那么漂亮和妩媚，但在本地女孩当中，绝对属于耐看的，加上比音乐教师年轻，又没有结婚，更没有像音乐教师那样拖儿带女，两项一抵，就比音乐教师更加可娶了。

至于小白兔喜欢天涯常客，也有道理。小白兔是护士，在天涯常客那个女同学手下做护士。平日里，小白兔就非常羡慕当医生的，特别是羡慕当主任医生或副主任医生的，甚至暗想过自己要是能嫁给一个这样的人就好了，只不过她没有摊上这个运气。年轻的时候心气高，真遇上当医生

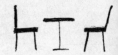

的追求她，又发现追求者并非白马王子，不如等下一个更好的，年纪大了之后，现实一些了，但连个年龄合适的医生都没有了。至于要嫁给主任医生或副主任医生，更是想都不敢想的事情了。因为他们的主任是个老爷爷，副主任是个女的，就是天涯常客的那个老同学，小白兔当然是不可能嫁给他们。但现在由副主任出面，说把自己的老同学介绍给她，小白兔自然喜出望外，想着既然是副主任的老同学，那么地位必定与副主任相当。果然，天涯常客的这个老同学谦虚，说天涯常客比她自己有成就，以前是个大老板，现在是个大作家。说着，还当场打开电脑，上百度。先输入她自己的名字，里面蹦出三四个消息来；又输入他们主任的名字，里面蹦出十几小消息；最后输入天涯常客的名字，呼啦啦一下子冒出几十万条信息来。小白兔一看，哇噻，比她们主任和副主任都有名那么多，立刻就先入为主了。

正式见面之前，天涯常客接受教训，早早地就对老同学讲清楚了："我是穷人。"

老同学说："放心，我不向你借钱。"

天涯常客说："你误会了，我说的是真话。我知道你不嫌弃我穷，但我怕人家嫌弃，所以，还是事先说清楚为好。"

老同学说："你自己误会了，人家是本地人，就是你《亲嘴楼》里面写的蔡大鹏那样的本地人，自己家就有亲嘴楼，更不会向你借钱。"

天涯常客一听，不说话了。头脑中马上就冒出本地女孩的温柔贤惠和家族的富贵，也先入为主了。

两人很快就坠入情网。小白兔没想到天涯常客看上去那么年轻潇洒，一点也不像大自己17岁的人。用她的话说，就是感觉不到年龄的差异。天涯常客没想到小白兔这么温柔，一副嫁鸡随鸡嫁狗随狗随遇而安的样子，不做作，不撒娇，不摆架子，几乎是百依百顺。说实话，天涯常客已经结过两次婚了,谈过的女朋友更是远远超出这个数,还第一次见过这么温柔的女孩。关于广东本地女人的温柔与贤惠,天涯常客早听说过,但是没想到温柔贤惠到这个程度。天涯常客立刻就铁了心娶她了。作为铁心娶她的重要标志,一是在网上发布消息,宣布自己已经找到女朋友了,大家不要再为他操心了;二是把小白兔带到自己居住的小区里面跟邻居们见面,并且带到他在深圳唯一的一个亲戚家与堂姐堂姐夫见面,甚至还跟着小白兔回家过了除夕。事实上,他们已经打算春节一过就结婚了。如果不是中间冒出了"白骨精",天涯常客说不定就真的和小白兔结婚了。

第二十五章 "白骨精"敌不过小护士吗

"白骨精"是人，不是《西游记》里面的妖怪。"白骨精"是"白领骨干精英"的意思。

天涯常客和"白骨精"是在深商研究会认识的。

本来天涯常客已经决意安心写作，不参加社会上任何活动，但老亨有办法，老亨硬是把天涯常客拉进了深商研究会。

老亨以前在总商会工作，而天涯常客以前自己开公司，大小也算是企业家，是商会会员，所以他们认识。现在，天涯常客不当老板了，当然也就不交会费了，算是自动脱离了总商会和企业家协会，按说不该和老亨再发生工作上的关系了。可是，事情偏偏这么巧，就在天涯常客不当老板改当"坐家"的时候，老亨也恰好放着好好的公务员不做，跑到《特区青年》当起了主编，于是，他就又和天涯常客产生了联系。

老亨有热情，同时又不缺乏城府，做事情很有板眼，一步一个脚印。

老亨向天涯常客约稿。

天涯常客是"坐家",靠稿费吃饭,当然不能拒绝杂志社的约稿。但是,他又是一个非常单纯的"坐家",除了小说之外,其他东西一概不写。包括散文、诗歌、报告文学、杂文、评论等,一概不写。他做过生意,知道凡是什么生意都做的老板很难成大气候,所以,决定当"坐家"的时候,天涯常客就给自己定了一个规矩:只做单纯写小说的"坐家"。

"谢谢!"天涯常客对老亨说,"你的那些东西我写不来。"

"不会吧,"老亨说,"你就从你的小说中摘一些就行了。"

老亨对天涯常客说,他们的基本观点是一致的,他接手《特区青年》后,也打算改变以前什么都登的做法,打算只刊登与深圳有关的内容,并且提出了"一切与深圳有关"的口号。

"你认为深圳文化的最大特点是什么?"老亨问天涯常客。

"效率。因为从本质上说,深圳文化是以企业文化为基础的。一切以效率为中心。"天涯常客回答。

"对啦,"老亨说,"你不就是写老板文学的吗?我们杂志有一个专门写年轻人创业的专栏,你的小说有那么多老板创业的故事,随便摘点,稍微加个帽子添个尾巴,就非常适合在我们杂志发表了。"

这样的好事情天涯常客当然愿意做。不费多大劲,就能赚稿费,还能宣传自己的作品,傻瓜才不做。于是,天涯常客就成了老亨的作者,而且,用老亨的话说,是他们杂志社重要的作者,不得不经常参加杂志社的一些活动,包括笔会和研讨会等。

有一次,老亨对天涯常客说他们要成立深商研究会。

天涯常客说好,非常好。并说他老家在安徽,徽商就很出名,都已经有徽商银行了,深圳现在商业比安徽发达,是应该打出"深商"品牌,将来成立"深商银行"也说不定。

老亨邀请天涯常客作为研究会的发起人。

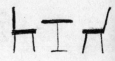

"只是挂个名，不耽误你很多时间的。"老亨说。

天涯常客找不出拒绝的理由。答应。

深商研究会成立之后做的第一件大事就是面向全社会海选深商意见领袖。

天涯常客明白这样做的目的是造势，能理解，也支持。

虽然是海选，但也要内定几个候选人，除了社会上自愿报名的人士外，老亨希望发起人内部也推举出自己的候选人，并且具体推荐了天涯常客。说天涯常客过去是企业家，现在是老板文学的代表人物，最适合做深商意见的领袖。

老亨征求其他发起人的意见。大家点头，说没有意见。

天涯常客对此完全没有思想准备，但看见大家一致赞同老亨的提议，心里还是热乎乎的，有一种被大家高度认可和尊重的愉悦，甚至多少有些激动，打算假意谦虚几句，然后欣然接受。可是，他还没有来得及谦虚，就有人站出来反对。这个人就是"白骨精"。

"白骨精"说，以前是企业家不代表现在是企业家，天涯常客既然现在已经脱离商界了，就不能再作为深商意见领袖，好比已经退党的人不能再担任支部书记一样。

"白骨精"这样一比喻，引起大家一片笑声，搞得天涯常客当场脸面挂不住。

本来天涯常客也没有想到老亨会推荐他，所以就根本没有打算当这个所谓的深商意见领袖，但他经不起笑，大家这么一笑，把他的自尊心给笑起来了，于是，他开始反驳。

天涯常客说，深商意见领袖并不是深商本身，企业家本人应该致力于企业的经营和发展。如果由企业家本人来担任深商意见领袖，要么当不好，要么就是不务正业，所以，深商意见领袖应该由非企业家来担任。

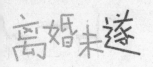

并且，也只有置身利益之外的非企业家才能客观公正地表达所有商人的意见。

"白骨精"还要争，老亨出来打圆场，说两个人意见都没有错，深商意见领袖可以是企业家，也可以不是企业家，最后到底是由企业家担任还是由非企业家担任，或者是由已经退休的企业家担任，不是他们说了算，而是由深商研究会全体会员投票决定，他们现在只是推荐候选人，不妨在发起人当中多推荐几个。于是，他又推荐了两个人，其中就有"白骨精"。

在此后的一段日子里，天涯常客和"白骨精"同时作为深商研究会发起人共同推荐候选人，经常共同出席一些活动，包括拉票和造势活动，他们经常碰面。天涯常客为了证明自己的"大度"，故意不计前嫌，对"白骨精"非常礼貌和客气。人前人后尽量说她好话，说"白骨精"干练正直，思想活跃，有干劲有能力，有国外留学经历，又在外企担任高级白领，人才难得，由她担任深商意见领袖最合适。

刚开始可能是言不由衷，但重复的次数多了，连天涯常客自己也信以为真。晚上睡在床上一想，是啊，自己并没有夸张啊，"白骨精"确实是干练正直思想活跃啊，确实是有干劲有能力啊，并且确实是海外归来担任外企高管啊。

天涯常客如此"大度"的表现，自然为自己赢得了好口碑，也让"白骨精"无地自容。"白骨精"想方设法要作出对等的反应，但实在找不到机会，因为天涯常客用过的方式她不能再用，否则也太没有创意并涉嫌造假了。于是，在一次聚会上，逮着机会，"白骨精"主动要为大家弹奏一曲，并特别声明把这首钢琴曲献给天涯老师。

一曲弹完，自然博得大家热烈掌声，天涯常客更是激动地站起来热烈祝贺，就差没有拥抱了。

这次天涯常客不是演戏，而是真心祝贺。他没想到精明干练的"白骨

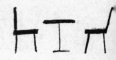

精"钢琴弹得这么好。

"白骨精"弹奏的是钢琴协奏曲《黄河》当中的一段，也就是冼星海《黄河大合唱》其中的一段。文革期间，继八个革命样板戏之后，钢琴协奏曲《黄河》紧随其后，红极一时。天涯常客当时在建设兵团文工团，并且也是独奏演员，对这段历史当然清楚，对该曲目也很熟悉。他记得当时的演奏者是殷诚忠。他更记得，文革之后，殷诚忠被戴上"文革红人"的帽子，不得不于80年代初移民美国，改名"殷承宗"，表示不忘本。他还记得这个曲目的最近演奏者是朗朗，在殷诚忠和朗朗之间好像还有一个"石叔诚版"的《黄河》。但无论是殷诚忠、朗朗还是石叔诚，在天涯常客的印象中，像《黄河》这样激昂澎湃的钢琴曲，只能由男人演奏，而不适合女人演奏。可是，今天听了"白骨精"的演奏，丝毫没有听出性别的差别。所以，天涯常客确实非常激动，使劲鼓掌。

这时候，"白骨精"郑重地向大家表白，说经过这么多天的思考，她终于明白一个道理，深商意见领袖应该是独立知识分子。也就是国外所说的公众知识分子来担任，而不能由代表任何企业和利益集团的人来担任，所以，她自己不合适，天涯老师最合适。

"白骨精"真诚地说："如果是我担任意见领袖，万一我们老板的意见和大家的意见不一致，我该怎么办？"

就这样，天涯常客和"白骨精"从对立走向和解，并且矫枉过正，好得过分。联想到他们俩都是单身，于是，圈内就有了议论和猜测，其中最经典的猜测是：最后的爱情往往是从最初的对立开始的。

这些猜测并非完全空穴来风，至少，在天涯常客这边是有所萌动的。

天涯常客经常不知不觉地拿"白骨精"和自己的女朋友小白兔作比较。他发现她们是两个完全不同的女人。一方面，天涯常客需要小白兔的温柔和顺从，另一方面，他发觉自己骨子里其实更欣赏"白骨精"的品位和素质。他甚至觉得只有"白骨精"才能配得上他。或者反过来,也只有他天涯常客才能配得上"白骨精"。他甚至痴迷地想,"白骨精"这么优秀但到现在还没有嫁人,是上帝安排她等着他呢。

天涯常客虽然这么想呢,但"白骨精"呢?"白骨精"是不是也这么想呢?如果两个人都这么想了,那么天涯常客很可能就放弃小白兔了。

天涯常客很想知道"白骨精"心里是怎么想的。即便他不放弃小白兔,也想知道"白骨精"是不是对他有意思。可他不敢问,甚至不敢试探,怕一试探,自己"老师"的形象就毁了,将来就不好见面了。可他又实在不甘心就这样和小白兔结婚。于是,就把和小白兔领取结婚证的计划从春节之前拖到春节之后。

春节之后,不能再拖了,天涯常客决定无论如何要打探清楚"白骨精"的真实想法。他想到了张正中教给他的方法,发信息。可再一想,"白骨精"的情况和当初娃娃头不一样。两个人不一样,天涯常客和她们两个的关系和了解程度也不一样,贸然给"白骨精"发这样的手机信息,万一"白骨精"根本没有这个意思,怎么看"天涯老师"?万一把这条信息作为证据张扬出去不是更糟糕?冥思苦想了一个晚上,最后天涯常客决定请老亨吃饭。他想让老亨假装是自己多事,撮合他和"白骨精",这样,即便"白骨精"完全没有这种想法,最多怪老亨多事,绝对不会对天涯常客产生不良看法,更不会造成不良影响。

这就是男人必须有朋友的好处。天涯常客想。

天涯常客相信在对付女人的问题上,男人基本上都是一致的。因为这种一致对任何男人都没有损失,还白赚一个人情。白赚人情的事情谁不愿意做啊。

但是,老亨的反应与天涯常客想象的不一样。

首先,老亨非常吃惊,说:"你不是有老婆的吗?"

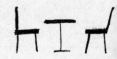
天涯常客解释了半天,说他以前确实是有老婆的,可现在老婆回武汉了,和他离婚了,所以现在没有老婆了。

"那你现在没有女朋友吗?"老亨问。问的口气仿佛知道天涯常客身边有个小白兔。或者并不知道小白兔,但想也能想得出他身边不会没有女人。

天涯常客解释了半天,说他身边确实有个女朋友,并把他对小白兔满意的地方和不满意的地方一并告诉了老亨。

老亨点点头,没有说话,而是在想,想了很长时间,给天涯常客的感觉老亨是在和聂卫平下棋,每走一步都要认真思考。

最后,老亨终于考虑成熟了,才说出自己的观点。

"以四十岁为界,"老亨说,"如果你今年四十岁以下,我支持你的想法,追'白骨精';如果四十岁以上,我建议娶小白兔。"

天涯常客当然四十岁以上。这点老亨知道,他自己更知道。

老亨接着说:"选择小白兔,你肯定不满足,但可以安安稳稳过日子。选择'白骨精',精神上倒是满足了,但你就等着继续打拼和使劲折腾吧。"

"你看她是安稳过日子的人吗?"老亨问。

"她"当然是指"白骨精"。

天涯常客承认老亨说得对,自己不年轻了,折腾不起了,还是安安稳稳找个温柔贤惠老老实实过日子的吧。再说,自己下了那么大决心退出商界,安心当"坐家",难道因为一个"白骨精"就走回头路?当然不能。于是,决定放弃念头,马上和小白兔结婚,好好过安稳的日子。

可是,他虽然这么想了,小白兔那边却出问题了。

当然,天涯常客和小白兔分手的直接原因不是因为"白骨精",而是因为海伦。

第二十六章　温柔贤惠不是无条件的

其实说天涯常客和小白兔结婚未遂完全是因为海伦并不公平。后来据天涯常客自己回忆，海伦的事情只是一个导因，是催化剂。即使没有海伦，他与小白兔也结不了婚。

前面说过，小白兔是护士，在深圳，本地护士学校毕业的护士是个好工作，收入够用，而且不存在下岗的问题。但是，护士这个职业有一个最不好的地方，就是要上夜班。在天涯常客看来，小白兔上夜班也没有什么不好，上夜班感觉业余时间还多一些。而且，每当小白兔由小夜班换成大夜班的时候，好像还多出两天空闲时间，正好可以出去玩。但是，小白兔不这么看，小白兔根据她这么多年上夜班的体会，觉得上夜班对女人的身体是一种严重摧残。于是，小白兔向天涯常客表示了这样一个愿望：最好能帮她调换一个工作。

小白兔能这样向天涯常客表示，就说明她很高估自己男朋友的实力，认定天涯常客作为一个大作家，一定认识很多大人物，为自己的老婆

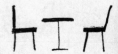

或女朋友调换一个工作当不成问题。岂不料，天涯常客是有苦难言。不错，他确实认识许多大人物，但这些都只是面子上的认识，并没有什么过硬的交情。尽管市领导也确实对他说过"有什么困难说一声"这样的话，但按照天涯常客的理解，这类话就好比他碰见熟人问一声"吃饭了没有"一样，仅仅是一种礼貌，是客气，并不代表如果对方回答"没有吃饭"他就一定会请客一样。所以，文人的自尊心使他从来都不向任何领导提任何个人的要求。说到底，他也算是当过领导的人，知道任何领导都不喜欢给自己添麻烦的人，作为一个文人如果凭领导的一句客气话就真的提要求，那么就是不知趣了。

小白兔是贤惠的。见天涯常客为难之后，没有逼他，而是主动退而求其次，说如果不方便，那么就要换房子，在医院附近重买一套房子。这样，上下夜班方便一些，也安全一些。天涯常客立刻答应。

天涯常客跟小白兔一起去她们医院附近看房子，并且他们也确实看好了一套房子。位置不错，就挨着她们医院，不仅上下班不用打车或自己开车，就是连自行车都不用骑，步行十分钟就到了，正好可以活动一下身体。如果是上白班，路上还可以顺便买菜。但是，在准备房款的时候，问题出来了。按照天涯常客的理解，买新房子是他们两个人的事情，因为新房子位于城市中心，价格是偏远地方的好几倍，天涯常客一个人根本就买不起。而在小白兔看来，买新房是天涯常客一个人的事情，如果买不起，当初干吗答应？天涯常客说当初他答应买新房就以为是他们两个人一起买的。小白兔说买房子当然是男人的事情，再说她也没有钱，一分钱都没有。天涯常客觉得很奇怪，你工作这么多年了，而且一直住在父母家里，起码房租不用出了，怎么会一分钱没有呢？小白兔说她是有钱，有几十万，但是刚刚花出去了，刚刚用按揭贷款的方式买了一套四房两厅双卫生间的大房子，所以就没有钱了。天涯常客更觉得奇怪，说既然你刚刚买了房子,那么我们还要买什么新房子呢?难道我们两个人还打算住三套房子?于是,天涯常客认真地建议,把新房子卖掉,在医院附近重买。小白兔说那不行,新买的房子是给她父母住的。天涯常客问,你父母没有房子住吗?小白兔说有,但是旧了,要住新的。

问题还不仅只这些。按照小白兔的描述,她刚刚买的那套新房是按揭贷款的,10年按揭,在今后的整整10年时间内,每个月她都要为这套房子偿还几千块钱的贷款。换句话说,如果他们结婚,那么在今后的10年之内,他们这个两口之家,甚至很快就要变成三口之家的全部的生活开销都要靠天涯常客的稿费来维持。

天涯常客陷入苦恼之中。他向老同学诉苦,老同学也觉得不可思议,不明白本地人要那么多房子干什么?并说天涯常客还算少了,仔细算起来他们两个还不止三套房子,因为小白兔家里还有专门用于出租的亲嘴楼,考虑到小白兔没有兄弟只有姐妹,怎么算那亲嘴楼当中也有几层将来属于小白兔的,怎么还要买房子?

老同学找小白兔谈话,问她是怎么回事,是不是不喜欢天涯常客,故意找茬?小白兔说她喜欢天涯常客,真打算跟他结婚,所以才要他买房子。老同学说出了天涯常客的困难,并提醒小白兔,早在他们俩见面之前,作为介绍人的她就说过天涯常客的经济状况的。

小白兔不说话。

天涯常客继续苦恼,找九月半和叶小舟喝酒。九月半和天涯常客一样高大,所以也就和他一样傻,也想不出问题出在哪里。叶小舟年纪没有九月半大,也没有婚姻的经历,但是在这个问题上,明显比九月半聪明。叶小舟说,本地女孩确实温柔贤惠,比电影上日本女人还温柔贤惠,但是,温柔贤惠是有条件的,这个条件就是必须是男人养家糊口,而不是像他们内地人或从内地来深圳的人那样夫妻双方共同支撑一个家。

天涯常客听了之后,将信将疑,看着叶小舟,又看看九月半。九月半说,叶小舟有发言权,因为叶小舟以前谈过一个女朋友,也是本地人,也是因为这个原因,刚刚吹掉。

天涯常客没话说了。喝酒。自己喝,也不给九月半和叶小舟让一下。

虽然明摆着是搞不成了,但是天涯常客和小白兔的关系还没有断。对小白兔来说,可能是看着副主任的面子,不好意思断。对天涯常客来说,还想做最后的努力,比如找小白兔的母亲谈一谈,谈谈自己的实际情况,希望他们理解,希望他们自己承担小白兔刚刚为他们买的那套房子的按揭。如果那样,天涯常客就把现在南山的这个房子卖掉,再凑一点钱,在小白兔工作的医院附近付首期买个新房子。但是,第一次没有谈通,首先语言不是很通,再加上有些话说不出口,比如要他们自己支付按揭款这样的关键词语说不出口。第二次打算再谈的时候,已经没有机会了,因为海伦出现了。海伦的出现,为小白兔提供了非常充分的分手理由。

那天天涯常客还在做挽救工作,还在小白兔面前装年轻,带着她去爬山,爬到一半,两个人坐下来休息的时候,手机响了,一接,是海伦。

"天涯大哥呀,怎么办呀?"海伦说。

"什么怎么办?"天涯常客问,以为她又要向他推销什么新产品呢。

"我怀孕了。"海伦说。说的声音不是很大,仿佛还比较害羞,不好意思大声说。

尽管海伦的声音不是很大,但在天涯常客听起来却像是晴空中的炸雷。

而且,当时他们休息的那个地方很安静,所以,不仅天涯常客听起来像炸雷,就是旁边的小白兔也听得一清二楚。但是,小白兔确实是贤惠的,并没有当场戳穿他。

天涯常客当场感觉胸口一堵,血气上涌,冲着手机一吼:"你打错电话了!"就把手机关了。

小白兔不傻,立刻就明白是怎么回事了。但是,她确实贤惠,根本没有发火,只是说:"我有点累了,不爬了,我们回去吧。"说的声音非常轻,生怕吓着天涯常客。

从那天以后,小白兔再没有与天涯常客联系。天涯常客倒是给她打过电话,打她手机,不是关机就是不接;打她家电话,没这个勇气;硬着头皮把电话打到单位,但护士的倒班规律他显然没有完全掌握,所以每次打过去都回答说她不上这个班。最后一次打过去的时候,在了,但分明听见小白兔对接电话的人小声讲"就说我不在"。天涯常客不敢再打了,怕把小白兔逼急了,她把真实情况汇报给她们副主任,也就是天涯常客的那个老同学。如果老同学知道天涯常客在与小白兔谈婚论嫁的时候,已经把另外一个叫海伦的女人肚子搞大了,天涯常客还能再见自己的老同学吗?还能再见其他同学吗?还能再见当年的老师吗?所以,天涯常客不敢给小白兔打电话了。但是,不打又不甘心,想着当初张正中指导他追娃娃头的那一招,发信息,发诸如"大灰狼想小白兔"这样的信息。可惜这些信息像是发往太空的,在寻找宇宙当中除地球之外的其他智慧生物,所以眼下还没有答复。天涯常客是学科技情报的,掌握一定的科学知识,知道离我们最近的星系也以光年计算,所以,即便有答复,至少也是好几年之后的事情了,而爱情这东西像美丽的花朵,几年之后,还能盛开吗?

那天天涯常客登山回来,小白兔就没有跟着他回南山,甚至都没有让他送。在下山的时候就电话联系了她大姐,让她大姐开车在大望村路口接她。天涯常客当时就感觉他们之间结束了。尴尬地与小白兔的大姐大白兔打了一个招呼,并眼睁睁看着大白兔载着小白兔走了之后,他上了自己的车,竟然半天没有发动起来。好不容易发动起来并回到南山,一

进他们小区方卉园,就看见海伦坐在他家门口等着。那一刻,天涯常客真想开车把海伦撞死。

当然,他没有撞,而是赶紧绕过花坛,重新把车开出去。由于太急,操作不当,差点撞到一个小孩,吓得一身冷汗。最后,把车开到中山公园里面,竟然趴在方向盘上大哭了起来。

中山公园位于老南头城和北环公路之间,离南头关不远。本来建设中山公园的目的,是想借此保护老南头城。毕竟,对于一个高速发展的年轻的特大城市来说,在铁丝网内竟然还有这样一个古建筑群落是值得保护的。事实上,老南头城也确实得到了保护,虽然里面的亲嘴楼凉台已经伸到老城墙的城门顶上了,但是毕竟老城门还在,里面的老鸦片馆和老妓院还在,民族英雄文天祥的公馆还在。但是,中山公园还是没有能够按照计划把老南头城包括进来,因为公园里面是容不得亲嘴楼的。如果要把老南头城包括在中山公园里面,那么肯定要把她里面的亲嘴楼全部拆除,但拆除亲嘴楼不是一件容易的事情,这里面有很多历史遗留问题和政策问题,还涉及到方方面面各种各样人的利益问题,除了花钱之外,还有一个还建的问题。从深圳市已经成功地完成改造的几处城中村看,政府在拆除里面亲嘴楼的同时,必须在原来的地方兴建更大建筑面积的高层公寓,以相同的面积甚至是更大的面积偿还原亲嘴楼的主人。只有这样,才能平衡各方面的利益。但是,这种办法在老南头城行不通,不可能在老南头城里面亲嘴楼被拆除后,又在原地建设更大的高层建筑群,如果是那样,对老南头城的破坏更大。那么,政府是不是可以在另外一个地方按相同的面积甚至是更大的面积来补偿原住户呢?也不行。深圳铁丝网之内哪里还有那么大一片闲置空地呢?补偿地的位置如果比原来的位置差,原亲嘴楼的主人肯定不愿意,补偿地如果位置比老南头城还好,那么不是拆市政府就是占深南大道,更不行。既然都不行,那么中山公园就没有把老南头城包括进来。如此，这个新建公园就没有主题了。尽管后来也搞了一个主题，取名叫"中山"，并且东大门也照搬南京中山陵的大门，但游客不认账，游客找不出该公园与"中山"到底有什么内在的联系，所以，公园建成之后，并没有多少中外游客光顾，倒是对面工业区的打工仔打工妹天天享受免费的游玩。公园为了创收，在里面搞了一个餐厅，生意是不是好不敢说，但确实是方便了天涯常客。因为天涯常客开车进去的时候，保安员分不清他是打算吃饭的还是打算进去看书或散步的。事实上，天涯常客经常在夕阳还没有消失的时候开车进来，进来的目的当然不是为了吃饭，而是把车停在餐厅的停车场，然后打一个晃晃，找一个挨着水面的原木椅子坐下，取出当天的晚报或本月的《小说月报》，甚至是他自己刚刚出版或发表的小说，享受属于他自己的幸福时光。但是，今天不是，今天他是趴在方向盘上哭。

第二十七章　男人的眼泪

常言道，"男儿有泪不轻弹"，但不"轻弹"不代表永远不"弹"，比如现在，天涯常客就"弹"了。其实，男人流眼泪和他们排泄甚至射精一样，也是一种释放，而且从科学的角度考虑，这种释放是必要的。无论从感情上还是生理上都是必要的。具体到天涯常客这里，自从阿力宝离开他之后，一会儿天一会儿地，情感世界就如某些国有企业和上市公司的财务状况一样，一直处于高度透资和严重亏空状态，虽然偶尔闪现过几次亮点，但也多半像上市公司的年报一样，纯粹是演戏给别人看的，甚至演戏给自己看的，如武汉乡下的土话说的，是捂住鼻子哄自己的眼睛。今天海伦的突然出现和小白兔的决然离去，就好比漏洞百出的国有企业或上市公司正好遇上了审计风暴，一下子把那层纸给捅破了。于是，也把天涯常客的眼腺给捅开了，狂泻不止。

我们很难判断天涯常客当时的失态到底是因为小白兔的离去还是因为海伦的到来，最大的可能是两方面共同作用的结果。但是，就当时的情景来说，我们宁可相信主要是因为海伦的到来。小白兔的离去固然让他很伤心，但是，天涯常客对此还是有思想准备的，还是能够事先预料到的，所以，还不至于让他如此失控，而海伦的出现是他始料未及的，属于突然袭击，所以具有更大的杀伤力。事实上，当时导致天涯常客痛哭的主要原因应该不是伤心，而是委屈，委屈比伤心更容易让男人流泪。

天涯常客确实感觉自己很委屈，也很倒霉。如今有那么多的男人搞了那么多的女人，也没见到哪个为此惹上麻烦的，怎么到了他这里，跟海伦仅仅只有那么一次，怎么就被摊上了呢？这不是很倒霉吗？

天涯常客感觉自己很无助。只身在外举目无亲，身边没有真正的亲人，一切事情都要自己扛着，硬扛着。比如现在，小白兔走了，真的像一只小兔子那样走了。走得很快，而且悄无声息，正因为如此，才更显得义无返顾，不留余地。而自己一点都不喜欢的海伦却来了，突然来了，来得从容不迫，来得胸有成竹，大模大样地坐在门口等着，完全一副天经地义的样子。天涯常客不要说找人来把她弄走了，就是想找一个人商量一下或倾诉一下都没有。不是很无助吗？

天涯常客突然感到后悔，非常后悔。从根本上后悔。后悔当初根本就不该下海，后悔不该跟老婆离婚，还后悔自己不该这山望着那山高，不该跟阿力宝离婚，更后悔没有接受阿力宝的提醒，到底还是跟海伦这个小妖精来往了，而且还是主动来往的，带着不良企图来往的，当然要产生不良后果。真是咎由自取呀！

天涯常客回想到，如果最初没有下海，虽然日子艰苦一点，但现在夫妻俩都是国家研究机关的业务骨干，说不定已经当上学术带头人了，标准的现代知识分子三口之家，多幸福！如果当初没有这山望着那山高，两次上赶子跑回武汉和阿力宝离婚，现在最坏的结果就是分居两地，起码还算有一个老婆，感情上不空虚，实在空虚了，大不了回武汉一次，或者

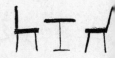

阿力宝回深圳一次，也不至于为小白兔的事情如此失落，如此伤感，为海伦的事情如此紧张了。

但是，后悔也没用，现在必须自己面对一切，自己独立承担一切。眼下最要紧的问题，是如何摆脱海伦，第二次摆脱海伦。

一想到要摆脱海伦，天涯常客的心就又被揪了一把。他知道，海伦不是那么好摆脱的，凡是这样从容不迫缠上来的人都不是那么好摆脱的，而这个海伦更加如此。从她能找到天涯常客的家这一点就能看出来。天涯常客记得那天他带海伦来的时候，海伦还特意说了，说她是路痴，根本就不记路，所以，那天天涯常客把她送走之后，就以为她再也不会回来了，还想着这就是送瘟神了。现在回头一想，不吉利，送瘟神这个想法本身就恶毒，也不吉利，因为电视上已经公开报道了，三十多年前那个已经被我们送走的瘟神，也就是吸血虫病，如今又回到神州大地了，就跟眼下海伦又回到天涯常客的家门口等着他一样。再一想，完全是阴谋，当初的瘟神吸血虫隐藏起来是一场阴谋，前些天海伦所谓的"路痴"也完全是一个阴谋，因为在此之前，海伦为了给阿力宝做面部护理的时候，已经到他们家来过，并且是自己找上门来的，那次怎么她不是"路痴"呢？怎么那次海伦没说找不到呢？

天涯常客感到恐怖，为海伦的阴谋感到恐怖，为自己有家不能归感到恐怖。

也许她现在已经走了呢？天涯常客想。但这么一想，非但没有感到轻松，反而更加恐怖了。第一，她可能是假走，其实是躲在暗处，专门等天涯常客回来，等天涯常客一回来，她马上从暗中跑出来，怎么办？难道天涯常客再慌慌张张掉头开溜？甚至还想再差点撞上一个小孩？第二，即便海伦现在确实是走了，但是并没有走远，而是就在小区附近，比如在小区附近吃饭或洗头，等吃完饭了或者是洗完头再回来，恰好逮天涯常客一个正着，岂不更可怕？第三，假如上面这两种情况都没有发生，事实情况是海伦真的走了，回家了，回她自己的家了，那么天涯常客现在回去当然可以安心度过一个晚上了。但是，她明天不会再来吗？后天不会再来吗？明天的明天或后天的后天不会再来吗？那么，天涯常客想，我就永远不能回这个家呢？

那一刻，天涯常客确实想不要这个家了，并且马上就想到如果不要这个家了，永远不回这个家了，会怎么样。想到最后，不要这个家是可能的，但是永远不回这个家是不可能的。即便不要这个家了，也不可能永远不回这个家。如果永远不回这个家，那么自己的那些书怎么办？难道自己的那么多的书都不要了？电脑也不要了？电脑里面那些已经完成或完成一半的作品怎么办？还有自己的学历证明、职称证书、户口簿、房产证甚至包括离婚证和离婚协议，难道都不要了吗？如果这些东西都没有了，拿什么证明我的身份呢？我还算是一个"人"吗？这些东西显然不能不要，而如果要，就必须再回这个家。但是，一想到要回那个家，想到家门口坐着的海伦，或没有坐在门口，而是躲在暗处的海伦，天涯常客的内心立刻就充满了恐怖。说实话，天涯常客几乎浑身发抖。

天涯常客发现自己的最大弱点就是关键时刻把握不住自己，不冷静，不能运用自己已经掌握的理论来正确地指导自己的实践。事实上，天涯常客经常说天下没有免费的午餐，而且还把这个理论放大，放大到"天下没有白吃的亏"，没想到关键时刻，自己还是贪吃了免费的午餐。

海伦是"午餐"吗？天涯常客想。我"免费"了吗？这么一想，天涯常客就更加委屈。首先，海伦算不上"午餐"，起码算不上秀色可餐的那种"午餐"；其次，天涯常客也并没有"免费"，不是给了她480块吗？不，是500块，当时天涯常客给了五张100块的，海伦后来还说要找回他20块，说了，但是并没有找，找他也不会要，所以，天涯常客实际上是支付了500块。天涯常客花500块从海伦手上买回那套已经开封的化妆品，一次也没有用。

可以说，当初买这套化妆品的全部目的就是为了打发海伦，或者是变相地补偿海伦。如果考虑到上床之前的晚餐和上床之后的洗脚，海伦这顿"午餐"不但没有免费，而且价格不菲。

想到这里，天涯常客不哭了。他把车门打开，擤了一下鼻涕，又随手从车上拿了一包不记得是从哪个餐厅吃饭的时候带上来的餐巾纸，清理掉鼻涕和眼泪。

微风一吹，天涯常客清醒不少，突然发现没有什么大不了的，根本就不值得这么害怕。首先，天涯常客想，我没有强奸她，而且她也没有打算告我强奸，如果告我强奸，那么此时在他家门口等他的就不是海伦了，而是警察。其次，海伦并不是真想嫁给我，最坏的结果就是讹点钱，讹点钱有什么大不了的呢？破财免灾，算我倒霉，强于嫖娼被抓了，或者没有抓，但是染上性病了，不还是得认了吗？这么一想，天涯常客就发现自己确实是太胆小了，难怪这些年那么多的商业机会都没有抓住，已经办成的公司最终也破产了，性格决定命运，像自己这样胆小怕事当了大老板也遭罪。

想清楚之后，天涯常客就决定先发制人，主动把手机打开，准备接海伦的电话。不，准备主动给海伦打电话。

手机刚一打开，还没有拨电话，就有信息等着了。

"你有新的信息，请查收。"

天涯常客一看，果然有海伦的留言，无非是找他谈谈什么的。

天涯常客振作一下，非常镇静地把电话打过去。

"海伦吗？你好。我正要找你呢。"

"找我？"海伦显然也被天涯常客的主动和镇静糊住了。

"是啊，"天涯常客开始瞎扯，"下午在银湖开会，不准开手机。我要谢谢你呀。"

"谢谢我？"海伦更加糊涂。

"是啊，谢谢你。"天涯常客继续瞎扯，"你上次推荐给我的那个化妆品非常好，大家都说好，说我用了之后立刻年轻了不少。我决定办年卡，而且我这里几个文化界的朋友也想办。如果同时几个人办，价格上是不是优惠一点呀？我自己倒无所谓，主要是这几个朋友，你知道文化人小气，他们说也有别的人向他们推荐同样的产品，你这个产品还有其他人代理呀？如果你这边价格便宜一点，我就可以让他们全部买你的。"

天涯常客不容海伦插嘴，一口气把要说的话说完。他虽然没有魄力当老板，但是这些年毕竟在外资企业当过区域经理，也自己创业当过老板，对生意人的本性理解得透彻，知道对付生意人的最佳办法就是画饼子，画一个大大的饼子。只要饼子画得足够大，那么就足以勾得生意人垂涎三尺，甚至是垂涎三丈。当她对你垂涎三尺甚至垂涎三丈的时候，她还会对你讹诈吗？

海伦果然被天涯常客牵住鼻子了，不知不觉跟着他的思路走，说了一些她推荐的这种化妆品确实好，以及如果同时几个人办卡她就可以升级，而只要她升级了提成比例就会提高，这样她就可以让出一部分利润出来，或者说就可以给天涯常客和他的朋友打更多的折这样一类话。

大约是太容易了的缘故，天涯常客突然有一种成本过高的感觉。难道真的要为那一次的上床付几千块甚至上万块的代价？而如果不为此付出这么高的代价，仅仅是今天这样说说而已，今天当然是可以对付过去了，那么明天呢？过几天呢？过几天海伦发现我干打雷不下雨，她不是还可以找上门来吗？再说，天涯常客又想，即便他为此付出了几千块甚至上万块，事情还没有了结呀，然后她还可以重提肚子大了的事情呀？这么一想，刚刚获得的那一点点自信又荡然无存了。

不管怎么样，今天是过去了。天涯常客不记得哪里有这样一句话，"只要今天过了就好了。"真的就好了吗？

第二十八章 流氓和流氓不一样

　　天涯常客回到家。回家的感觉真好，竟然有一种久别重逢的感觉，仿佛这个家是他养的一条狗，后来他不想养了，于是开车把它丢到很远的地方，丢了之后，又有点后悔。但是后悔已经晚了，再也找不回来了，今天回家，却发现狗已经自己回来了一样。

　　天涯常客打开电脑，却写不了任何东西。他现在是《北京娱乐信报》名家随笔专栏的作者，必须经常写一些应时的随笔，但这种应时随笔必须是在心情愉快的时候才能梦笔生花，不然写出来的花就是干枯的，有辱名家的称号。

　　天涯常客干脆关了电脑，看书，看书总可以了吧？随手拿出一本南怀瑾的旧题新作。不行，也不行，心神不定。看不进，看了半天还是那一页，从头再看，似曾相识，但不敢肯定是不是已经看过，更不清楚是刚才看过还是很久以前看过。

　　天涯常客又合上书，打开电视，看电视总可以了吧？不，干脆听，闭上眼睛"听"电视,"听"电视总可以了吧?

退一步天地宽。天涯常客由看电视改为听电视之后,果然就安适了,恍惚之间竟然晕晕忽忽地想起他一个朋友,一个以前是他部下的部下现在却像模像样当了老板的朋友。这个朋友有一个最大的特点,就是喜欢乱搞,自己明明有老婆,而且老婆蛮漂亮,可就是喜欢在外面乱搞。有一次也把一个女孩肚子搞大了,找到他们公司,他还求天涯常客去给他解围呢。

对呀!天涯常客把眼睛睁开了。

既然他当初能求我帮忙,我现在干吗不能求他?

天涯常客大脑开了一道缝,像大白天在电影院看电影,原本紧闭的窗帘突然被拉开一道口子,阳光一下子就钻进来了一般。这是今天,不,准确地说是这些天来天涯常客第一次感受到这个世界还有阳光。

不行。天涯常客又想,我不能说是我自己,我是文人,不是流氓。尽管时下很多人说如今的文人就是流氓,但流氓与流氓不一样,作为文人的流氓和作为老板的流氓还不是一个档次的。于是,天涯常客想,我可以给这个朋友打电话,但不说是我自己,而是说别人,说别人遇到了这种情况,找我帮忙,我不知道该怎么样帮忙,所以才打电话请教的。

电话打通,那个朋友对天涯常客还是老称呼,不像一般的文学青年那样称呼他"常老师",而是称呼"常总"。这说明他们是老朋友,是天涯常客当作家之前的朋友。

既然对方称他"总",那么他也称对方"总",许总。

天涯常客把情况说了。当然,没有说是他自己,而是说他一个朋友遇上了这种事情。

说的时候,为了表明确实不是自己而是别人,所以故意说得轻松,语调轻松。就这样轻松着,天涯常客的心情果然真轻松了不少。

"你那个朋友是做什么的？"许总问。

"作家。"天涯常客回答。

"有没有老婆呀？"许总又问。

"以前有，现在离了。"天涯常客实话实说。

"那就是没有老婆了。"许总说。

"对，对，没有老婆。现在没有老婆。"

"没有老婆怕什么呀？女的多大岁数？"

"二十多。"

"你那个朋友多大岁数？"

"四十多。"

"有钱没有钱？"

"谁？"天涯常客问，"谁有钱没钱？"

"女的有钱没钱？"许总问。

天涯常客想了想，说："不知道，大概不会太有钱吧。"

"男的有钱没钱？"许总又问。

"没有，穷人。"天涯常客说。说得比较实在，因为他知道，那个男的就是他自己，而他自己眼下和这个许总相比，是实打实的穷人。

许总不以为然了，说："没钱怕什么呀？你以为她真想嫁给你呀？还不是想讹钱吗？既然你没钱，她讹你什么呀？你又怕什么呀？"

"可是……可是她找上门来了呀。"

"找上门来好啊，找上门来还不好吗？如果她有钱，来一次向她借一次钱，保证她下次不敢来了；如果她没钱，来一次干一次，反正你现在也没有老婆，干她总比干鸡好吧？"

"不是我，是我朋友。"天涯常客强调。

"不管是哪个，没钱就好办，听我的，不要怕，来一次干一次。你要是不敢干,喊我。"许总还是把天涯常客的那个"朋友"当作天涯常客自己。

"可女的要是赖上了怎么办?"天涯常客还是不得要领。

"赖上?赖上什么?想嫁给你呀?她是做什么的?"

"推销化妆品。"

"做化妆品的好啊,"许总说,"做化妆品推销的女孩不会太丑,怎么会死皮赖脸地要嫁给一个比她大二十多岁的穷男人呢?你别做梦了吧!"

天涯常客脑袋上的口子开大了一点,更多的阳光蜂拥而至。想,对呀,这个海伦并没有什么大毛病,主要就是瘦,太瘦,因为瘦,所以膝盖才显得大,屁股才觉得小,小肚子才中央突出。如果胖起来,比如胖到大腿上的肉能够把膝盖和屁股之间连接起来,肯定就没有那么恶心了。想如今那么多的女人都千方百计地拼命减肥,说不定这个海伦就是减肥减的,如果停止减肥,马上就会胖起来。再想起海伦穿上衣服之后青春靓丽的样子。天涯常客想,真要是给他做老婆,说不定他还真捡着了。反正小白兔也走了,他现在好比原子核外围的空轨道,迫切需要核外电子的填补,她要是愿意,正好可以让她来填补。

这么想着,天涯常客竟然有一种破罐子破摔的大无畏气概来,一点也不害怕海伦找上门来。相反,还抱着一种恶作剧的心态,有点希望她来了。

说来也怪,自那天许总一番开导后,海伦就再也没有给天涯常客打过电话。没有打电话催他办年卡的事,也没有来电话说她怀孕的事,仿佛他们之间根本就没有发生过任何事,也不会再发生任何事情一样。

说实话,冷静下来后,天涯常客刚开始还有点担心她会打电话来,想着如果海伦再打电话来,他能不能立刻转换角色,说出许总教他说的那些玩世不恭的话,做出许总教他做的那些近乎流氓做的事。后来,这种担心渐渐变成了一种期盼,期盼着海伦早点打电话来,是福不是祸,是祸躲不过,既然早晚要找上门来,干脆还是早点找来好。最后,当海伦这么长

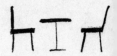

时间没有找上门也没有打电话来之后，天涯常客竟然还有点失望了，甚至有点失落，感觉海伦可能已经知道他的底细了，知道他是穷人了，根本就不屑找他。如果海伦再来找他，天涯常客虽不会像许总说的那样"来一次干一次"，但起码会跟她谈谈，谈谈她那天电话里面说的怀孕是怎么回事。如果是真的，不如就把孩子生下来，说不定海伦生了孩子之后，就变胖了，就出落成一个美丽的少妇了。如果那样，天涯常客老婆孩子一起要，有什么不好呢。可惜，当他把一切都想通了之后，海伦就消失了，从此消失了。

　　天涯常客曾经几次想主动打一个电话过去问问，但每次电话拨到一半，想着多一事不如少一事，又想着天下没有免费的午餐那句老话，还是作罢。他有时候想，说不定哪一天，海伦会突然出现在他的面前，怀里还抱着一个孩子，说要去做亲子鉴定。如果那样，天涯常客想，更好，那就说明他真的成了贾平凹或余秋雨了，要不然，打死海伦她也不会这么做的。当天涯常客这么想的时候，他就彻底没有烦恼了。但是，好景不长，随着大白象的出现，天涯常客本以为解除的烦恼，又重新冒出来了。

第二十九章 女人不能失去自我

海伦的事情平息下去之后，天涯常客过了几天消停的日子。他突然之间不想那么急于找老婆了，甚至连情人也不打算找了，自我安慰地想人不能太完美，既然上帝已经在事业上格外关照他了，那么在爱情上就不会再让他顺利。如果不顺其自然，一味贪婪，追求超越自己运气之外的目标，就必然会遭到报应。比如像海伦的事情，现在还很难说是真正过去了，说不定哪一天又冒出来。如果真冒出来，天涯常客想，他真的就能像许总说的那样泰然处之吗？肯定不行，一个人一个命，很多事情在许总看起来根本就不是事，但是对天涯常客来说就是事，而且是大事。反过来也一样，天涯常客想，他现在手把手毫无保留地把写作方法告诉许总，他就能写出小说来吗？肯定也不行。所以，许总教天涯常客的招数听起来有道理，也能鼓舞人心，但真正操作起来天涯常客还是做不到。所以，为了不再出现海伦这样的事，为了不分心，天涯常客打算放弃爱情，起码暂时放弃爱情，安心写作。

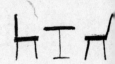

　　天涯常客打算静下心来写几部中短篇小说。这两年天涯常客一口气写了将近20部长篇小说，把中短篇小说给耽误了，具体表现就是打开每期的《小说月报》，翻到最后一页，从头看到尾，竟然找不到一个天涯常客的名字。天涯常客感到了不安，因为他曾经说过，说如今图书出版已经市场化了，所以，某个人出一本书甚至几本书并不能说明他的文学水平，而如果在杂志上发表小说，那才是真水平。天涯常客当初说这句话的时候，他还没有出版长篇小说，而只是在杂志上发表了中短篇小说，谁知道这句话说出口之后，他就迷上了长篇小说。因为他发现，中短篇小说写得再好，也不能解决温饱，而他是真正的"专业坐家"，是一个靠写作吃饭的人，如果靠中短篇小说吃饭，在如今的内地能不能生存下去他不知道，在深圳，肯定要饿死。为了不被饿死，天涯常客这两年就集中精力写长篇小说，而没有写中短篇小说，直接后果就是在《小说月报》的开头或末尾都找不到他的名字。一些当初被他那句话打击过的人，现在用他自己的话来驳斥他，弄得天涯常客就像战国时期那个既卖矛又卖盾的人一样，下不来台了。为了能让自己下得了台，天涯常客决定暂时放弃经济利益，安心写几篇中短篇小说。并且他已经想好了，如果中短篇小说反映不错，那么还可以在中短篇小说的基础上发展成长篇小说，好比去全聚德吃北京烤鸭，可以一鸭两吃，既吃了葱卷脆皮，又吃了鸭肉炒芹菜一样，不浪费。中短篇小说写好了，非但不耽误长篇小说的创作，说不定还能有利于长篇的创作。事实上，这种事情天涯常客以前也干过，比如在《香草》发表的文学处女作《再婚》，后来就被他写成长篇小说《上市公司》，还有在《人民文学》发表的短篇小说《涨停板跌停板》，后来也改写成长篇小说《透支》，反响都不错。现在，天涯常客专门腾出时间来写中短篇，就是打算故伎重演。

　　有人说无论做什么事情，你付出多少，就会得到多少。这话天涯常客

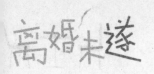

以前信，现在不信了，过了四十就不信了。

对于事业，不用说了，很多人付出了巨大的努力，最后可能是一事无成。另外一些人并没有付出多大的努力，说不定轻轻松松地就成就了一番事业，不是当了大官就是发了大财。那些没有发财的人付出的就一定比发了财的人少吗？那些发了小财的人付出的就一定比发了大财的人少吗？肯定不是。

对于感情，更是这样。天涯常客认为更不是付出多少就一定得到多少。以前的两次婚姻和若干次恋爱就不说了，就说不久前，当天涯常客又是在网上发布信息又是直接上婚介所近乎疯狂地找对象的时候，并没有真正找到一个合适的对象。当然，连"合适的对象"都没有找到，就更不用奢望真实的感情了。而当他打算放弃找对象，或者说是打算放弃感情的追求的时候，对象却自己找上门来了。

这个"对象"就是大白象。

大白象是天涯常客给她起的绰号，而且是天涯常客的专有绰号，其他人不这么喊，其他人喊她黎庭长。

黎庭长是真正的庭长，不是绰号。准确地说，大白象姓黎，黎明的黎，女，40岁，离异，有一子，职业是深圳某区级法院某审判庭的庭长。

天涯常客是通过张正中与大白象认识的。认识的时候，张正中喊她黎庭长，所以天涯常客当时也喊她黎庭长。但是，熟悉了之后，准确地说是他们确立了恋爱关系之后，天涯常客就不喊她黎庭长了，而是喊她大白象。

那天张正中给天涯常客打电话的时候，说他在阳光酒店旁边的芙蓉国吃饭，说如果天涯常客有空，就一起参加。天涯常客当然有空，"坐家"能没空吗？所以就参加了。参加之后才发现，除了张正中两口子外，还有一个与他老婆年龄差不多大的女人，他们喊她"黎庭长"。

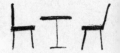

关于天涯常客找对象的事情，张正中当然知道，但知道得不是很详细。就知道他与阿力宝分手了，跟娃娃头好上了，至于他与娃娃头到底好到什么程度，甚至是还没有好到什么程度就分手了，以及天涯常客与娃娃头分手之后又经历了那么一大堆事情，包括像海伦这样的事情，张正中是一概不知。天涯常客发现朋友跟朋友不一样，这样的事情，他能对许总说，却不能对张正中说，就像另外一些事情他只能对张正中说却不能对许总说一样。但是后来，张正中还是知道天涯常客与娃娃头没有搞成。因为后来天涯常客出版了新书，照例，给张正中送去。张正中问他跟王总怎么样了，什么时候让他当证婚人，天涯常客才把他们其实还没有开始就分手的事情说了。但没有说得太详细，因为他不想说详细，只是说两个人的价值观不一样，不合适。再后来，就发生了张正中打电话约他一起吃饭的事情。

天涯常客后来估计，张正中或张正中的老婆那天对黎庭长也是什么都没有说，搞得一切好像都是偶然碰上的一样，最多就是给双方提供了一个认识的机会。至于双方是不是把它看作是一种机会，以及能不能抓住这个机会，随缘。

天涯常客作出这样的判断是有根据的。因为那天黎庭长穿了身制服，如果事先知道是介绍对象，估计一般的女人都不会穿制服的。

歪打正着。天涯常客认为黎庭长穿制服的样子非常好。主要是非常精神，比最近正在热播的几部电视连续剧上几个由著名影星扮演的女法官或检察官还精神。大约扮演毕竟是扮演，怎么着也没有真实的庭长自然吧。

黎庭长皮肤比较白，但不是像海伦那样的白。海伦白得耀眼，黎庭长白得结实，连头发根子下面都透着白，一副久经考验的样子，经得起岁月的打磨。按照天涯常客的人生经验，这是优越家庭出身的典型标志。

黎庭长一头齐肩的卷发，与她的白一样，卷得含蓄，不张扬。天涯常客甚至判断出这卷发不是烫的，而是天生的自来卷，否则不会这么服帖。

这种自来卷的头发天涯常客见过。不但见过,甚至还专门研究过。大约在二十年之前,天涯常客与一个外国留学生共过事,那个外国留学生就是自来卷。当时天涯常客还不知道世界上有自来卷的头发,所以不相信,以为留学生是吹牛,是背着他跑出玉泉路拐到军事博物馆旁边烫的。这留学生也是一个认真的人,为了证明自己确实是自来卷,竟然扯下自己的头发,放在显微镜下面给天涯常客看。天涯常客看见在显微镜下面,留学生的头发断面不是一个圆,而是一个椭圆。或者说,留学生的头发不是圆的,而是扁的。于是,天涯常客信了。因为他知道按照最小应力原理,如果头发不是圆的而是扁的,那么,在无外力作用的状态下,头发就会自然卷曲,也就是自来卷。

结实的白、自来卷的头发加上合身的制服,衬托出黎庭长的高贵、干练和不失妩媚。说实话,天涯常客本来已经不打算再找老婆的,至少暂时不考虑再找老婆了。但是,一见到黎庭长,立刻就动摇了。也就在那一刻,"大白象"三个字立刻就从大脑皮层中跳出来。从此,天涯常客心里就暗暗称她为"大白象"了。

大白象和天涯常客正式建立关系,还是女方主动的。主动的方式是她给天涯常客打电话,与天涯常客讨论他的书。大白象说她好长时间没有看过长篇小说了,没想到一看,竟然被吸引了。

天涯常客不敢确定她是说真话还是说恭维话。但不管是恭维话还是真话,天涯常客都比较高兴。因为作品相当于作家的儿子,不管儿子长得漂亮不漂亮,聪明不聪明,听到别人夸奖自己的儿子,作为家长的总还是非常高兴的。

"主要是贴近生活,"大白象说,"贴近我们身边的生活。里面写的那些事,就好像发生在我们身边一样,甚至就像发生在我们身上一样。比如《从坡坡屋出来的女人》,现实生活中真有这样的人。我的一个朋友就跟你

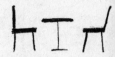

里面写的那个项茹梅一模一样，而且她现在就在深圳，我甚至感觉你就是照她写的。还有《造就老板的女人》，女人一辈子为男人着想，小时候为父亲着想，为兄弟着想，结婚之后为丈夫着想，老来为儿子着想，什么时候女人能为自己着想呢？还有那么多的女人一心想着成就丈夫的事业，可当她们的丈夫真的成就一番事业之后，往往要做的第一件事情就是嫌弃甚至抛弃原来的女人。所以女人不能为男人活着，要为自己活。"

天涯常客本来很有兴趣地听着，但听着听着，就不敢听了，起码是不敢接她的话了。因为那天从芙蓉国回来之后，天涯常客立刻就往张正中的家打了一个电话，张正中不在，他老婆说他刚刚到家就又被人约出去了，所以，天涯常客和他老婆聊了一会儿。张正中的老婆说："真搞不懂你们男人，这个黎庭长这么优秀，真的很优秀，几乎挑不出毛病，但是，还是被她老公背叛了。"天涯常客听了之后，当时就不敢接话，因为张夫人明明说了"你们男人"，自然把黎庭长的老公、她自己的老公，还有天涯常客全都包括进去了。既然把天涯常客都包括在内了，天涯常客还能说什么呢？现在也一样，现在大白象说的"男人"自然也没有把天涯常客排除在外，所以，天涯常客仍然不知道该说什么。

虽然没有说什么，但是天涯常客承认张夫人说得对，大白象确实非常优秀，无可挑剔。

两人进行了短暂的接触之后，天涯常客提出："不用再谈了，干脆结婚吧。"

天涯常客向大白象解释说，他算是谈怕了，人无完人，谈来谈去无非是互相找对方的缺点和毛病，而人的毛病是经不起找的。不找，没事。一找，肯定就找出事情来，好比人与人之间是是非非的话，不传没事，一传准有事。所以，中年人谈恋爱，谈到最后肯定不欢而散，何苦呢？天涯常客因此认为，中年人不用谈恋爱，不能谈恋爱。

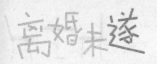

　　"哦,那谈什么?"大白象问。

　　"谈婚姻啊,直接谈婚姻啊。"天涯常客说。

　　天涯常客还对大白象说:"我们都是四十往上的人了,你是当法官的,专门审判人。我是当作家的,专门描写人。我们都已经练就出来了,一个人好还是不好,好到什么程度不好到什么程度,合适自己还是不合适自己,几次一接触,基本上就知道个大概,百分之八十没问题,剩下的百分之二十即便全是毛病,又能怎么地?谁能找到百分之百没毛病的人?百分之百没毛病的人肯定就不是人。"

　　天涯常客最后说:"假如真要进一步了解,深入了解,那么就必须在一起生活。我是男人,又是自由职业者,没有单位管,无所谓。你是女人,又是庭长,我们俩没结婚就生活在一起,你不觉得不好吗?"

　　天涯常客最后这一句话玩了逻辑陷阱。等于是把大白象逼到了墙角,让她进退都没余地,不管她做怎样的回答都上了天涯常客的圈套。如果大白象答应马上结婚,那么当然没有什么说的,天涯常客的目的达到了。如果她不答应马上结婚,反驳天涯常客的观点,那么就必须说先同居也没有关系。作为一个女人,一个庭长能这样说话吗?就是心里真这么想,嘴上好意思这样说吗?但是,天涯常客没有想到,如今的女人已经不是他第一次结婚那个时代的女人了,现实生活中的黎庭长也不是电视连续剧那上面著名影星扮演的庭长。大白象听完天涯常客的话之后,说:"那倒没关系,反正我们都是一个人,也不会妨碍其他人。"

　　天涯常客一听,自然先是一炸,就像抗战胜利之后,蒋介石没有想到毛泽东真的答应来重庆谈判一样,还真来不及反应。但冷静一想,也是,自己离婚了,就一个人,大白象也离婚了。虽说带着一个儿子,但法律上判给她的儿子并不跟她住一起,甚至不与她住在一个国家,而是早早地就去了澳大利亚。如果她现在与天涯常客未婚先居,真的对任何第三人

都不形成妨碍。

话虽然这么说，但大白象在马上结婚与未婚先居之间还是倾向于前者。不知道她本来就有这个打算，还是听了天涯常客的一番分析之后受到了启发，临时想起来的。反正她在说了那句听似反驳天涯常客的话之后，马上就开始查日历，查一本像杂志那么大跟词典那么厚的大日历。这种日历中国没有，外国有，或者中国有但不是中国大陆有，而是台湾或香港这样的地方才有。因为这种日历相当于旧社会的老黄历，明显带有封建迷信色彩，在中国大陆是不可以公开出售的。

果然，大白象在里面找日子，找适宜结婚的好日子，因为按照迷信的说法，今年是"寡妇年"，不挑准日子是不宜结婚的。

庭长一边查一边解释，解释说她其实并不是迷信，只是想讨一个吉利，讨吉利算不上迷信。

讨吉利当然好，天涯常客也想讨个吉利，于是，天涯常客就与大白象一起查日历，挑日子。

两个人力量大。经过他俩共同努力，还真在"寡妇年"里找到了一些适宜结婚的好日子，其中最近的适宜婚嫁的日子是3月21日。天涯常客心中疑惑，想，既然是"寡妇年"，那么怎么还会有适宜婚嫁的日子呢？应该什么日子都没有才对呀？但是他就是这么想想，并没有说，如果说了，说不定他们就不会等到3月21日这个所谓的好日子了，可能第二天就去领结婚证了。可惜，天涯常客当时并没有说。可能是考虑反正也不在乎这十天半个月，也可能是迁就大白象希望吉利一点的心理，还有可能是他自己也希望讨个吉利，但不管是出于什么考虑，反正那天天涯常客没有说。既然没有说，那么他们就只能等到3月21日才能去领结婚证。然而，就在他们等待的这段并不算长的时间里，事情发生了重大转折。后来据天涯常客自己说，那就是天意。

第三十章　失去之后才想起对方的好

重大转折来自阿力宝。

尽管当初决定离开深圳回武汉的时候，阿力宝就考虑到要跟天涯常客分手，所以，她才事先做了充分的准备。比如趁天涯常客去广州学习之际，她悄悄地把自己的衣物通过邮局寄回武汉等。但是，阿力宝回武汉的基本动机还是要找回自己的位置，而不是为了跟天涯常客分手。事实上，这些年阿力宝跟随天涯常客在深圳，一直想在这个城市里找到属于她自己的位置，结果，她自己的位置没有找到，却帮天涯常客找到了。或许，深圳根本就没有阿力宝最适合的位置，至少没有像她在武汉那样适合的位置。现在，一回武汉她找到了，果然找到了。阿力宝发现，她最适合生活的城市还是武汉，最适合做的工作还是干老本行。具体地说，她就最适合在武汉这个地方娱乐休闲行业当老总或老板。

凭着独特的职业眼光，阿力宝上次回武汉的时候，就已经看好了一个场子。这个场子位于武昌新区，新楼，顶层，复式建筑，上下两层。阿力

宝之所以看上这个场子，是因为她认定如今做休闲娱乐行业肯定要打擦边球，不是沾赌就是沾色，否则很难赚钱。早些年是沾色的生意好做，现如今色已经不神秘了，哪里都可以进行，马路边都可以进行交易，宾馆也不查结婚证，想搞这种活动的人根本用不着像过去那样额外花钱去高价娱乐场所寻求机会，现在的机会到处都是。所以，现在做沾色的娱乐休闲行业不合算了，利润低，风险大，不如做沾赌的。

所谓"沾赌"，当然不是开赌场，开赌场就不是"沾"的问题了。"沾"是小的意思，比如带彩的斗地主或麻将，小赌宜情，不犯大法，即所谓的打"擦边球"。这种"沾赌"的休闲娱乐场所不适合用门面房，门面房不但贵，而且不安全。虽然是小赌，不至于犯法，但起码是违反治安管理条例，警察想来查还是有理由的，所以还是尽量避着一点好，选择楼上就比较安全。根据阿力宝的经验，除非接到举报，否则警察一般不随便上楼查住户是不是在小赌。至于选择顶层复式建筑，不用说，肯定是为了进一步安全的需要。万一警察接到举报，真的来查了，从一楼上到顶层肯定需要一定的时间，只要与小区保安关系正常，到时候发一个信号，等警察上来了就只能看见纯粹的健康娱乐活动了。而顶层又是复式建筑，阿力宝自然想到把第一层安排做纯粹的休闲娱乐项目，比如洗脚等，带彩的活动在楼上，这样，等于是又增加了一道保险。所以，阿力宝认定那是一个好场子，一个最适合做带点小赌的休闲娱乐场子。看好场子后，阿力宝与业主达成口头协议，然后就回来向天涯常客拿钱，并且在钱一到手之后，立刻就返回武汉跟业主签订合同，投入装修。直到这个时候，她都没有正式打算跟天涯常客离婚。至于后来在电话中态度不好，最后发展到两个人离婚，在很大程度上是受她姐姐的影响。

阿力宝的姐姐就是长篇小说《上市公司》中余曼丽的那个姐姐，在那部小说中，她叫余曼华。这当然是个假名字，连姓都不对，但既然是小说，

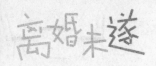

没有必要探究真伪，我们姑且还是叫她余曼华吧。

余曼华也是苦命人。在家里是老大，而她们的母亲是20世纪50年代第一批响应党的号召从武汉来江沅农场的，本来在武汉的时候就是一个小市民。但是到了江沅之后，愣认为自己是大城市来的大小姐，于是，早早地就把女儿培养出了操心命，替她操心。70年代初余曼华本来是可以推荐上工农兵大学的，但是母亲不同意，母亲认为工农兵大学生毕业是哪来回哪去，上了两年之后，还回到江沅，不如不上。于是，执意让余曼华随武汉来的知识青年一起上调回武汉。在母亲看来，回武汉比上大学重要。母亲非常后悔自己当初从武汉来江沅，但后悔没有用，后悔也回不去了。于是，一心想着让子女回武汉，了却她自己的心愿。余曼华上调到同济医院后，本来是可以嫁给一个医生的，事实上那时候也确实有医生追她。但是，父母坚决不同意，认为知识分子没一个是好东西，不是家庭出身不好，就是本人没有改造好。父母也不是瞎说，当时江沅农场的知识分子基本上都是这两种人，所以，父母以过来人的经验，要求余曼华坚决不能嫁给知识分子。但是，医院里面不是知识分子的男人实在太少，好不容易有那么一两个，不是长得如《巴黎圣母院》当中的敲钟人，就是早早地被小护士们勾了魂，最后，余曼华只好嫁给汉阳铸造厂的一个翻砂工。

这个翻砂工主要有两个优点，一是家庭出身好，自己是翻砂工，父亲是码头工，爷爷是民国初年从黄陂来汉口拉黄包车的。按照现在的标准算起来，应该是中国最早一代的出租车司机，也是工人。所以，他们家可以说是三代工人阶级。在余曼华找对象结婚的那个年代，这是最好的家庭出身了，比三代老贫农还要好。

翻砂工的第二个优点是身体好。身材魁梧，肌肉发达，声如铜钟，在家属区一声大吼，住院部那边都能听见。但是有优点就有缺点，翻砂工的主要缺点是好喝酒，而且一喝就醉，一醉就大声吼。如果仅仅是他一个人

喝一个人吼,倒也罢了,问题是他相信老一辈江汉工人阶级流传下来的古训,一个人不喝酒,两个人不赌钱。所以,经常呼朋唤友,带一帮同样做翻砂工的朋友来家里一起喝酒,一起大吼。这就比较麻烦了。

那时候工人阶级是领导阶级,社会地位很高,但也只是说得高,或者说是政治待遇高,用现在的话说就是虚高,实际上经济待遇并不怎么样,还不如知识分子。具体表现在住房问题上,就是汉阳铸造厂并没有给三代工人阶级出身的翻砂工分房,而同济医院的知识分子虽然说起来是臭老九,臭不可闻,但住房宽裕。余曼华虽然不是知识分子,自然不能拿手术刀,只是在后勤部门上班,具体工作恰好就是在房产科管房子,别的便宜没占到,却也享受了那些拿手术刀的知识分子同等待遇,分到了房子,而且是比较宽敞的房子。因此,做翻砂工的丈夫总是把一帮工友带回家喝酒猜拳,大叫大吼,受影响的就不仅是余曼华一个人了。

余曼华虽然不是知识分子,但到底天天跟知识分子打交道,也接受了知识分子的某些影响,对周围知识分子的脸色和眼神还是能看出来的。于是,当丈夫再带工友们回来喝酒猜拳闹腾得天翻地覆的时候,余曼华就提出了警告。刚开始是轻微警告,后来是严重警告,最后,见警告无效,只好当面给小脸色,让丈夫难堪,也让丈夫的那些同样是做翻砂工的朋友们难堪。或许,如果仅仅是给丈夫一个人难堪,那么他还能忍受,而余曼华是给那么多工友一起难堪,丈夫就不能忍受了。于是,丈夫那每天经受烈火熏烤的火暴脾气终于暴露出来了,暴露的方式是当众让余曼华享受工人阶级的铁拳头,并且说:你让老子今天没脸,老子让你三天没脸。果然,余曼华第二天就真不能见人了。如果仅仅是那么一次,当然也就算不上什么事。那时候夫妻打架还不像现在这么稀罕,问题是打老婆这种事情也跟男女同事之间偷情一样,只要经历了一次,就很难制止第二次,而每个第二次,又都可以理解为是下一次的第一次。如此,余曼华就经常

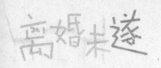

上班不能见人了。再看看当初与她一起从江沅农场调上来的知识青年，嫁给医生们之后，一个个活得红光满面，滋润得很，就她一个见不得人，于是，一面抱怨父母当初的短视，一面决然地选择了离婚。

据说当时余曼华和那个翻砂工丈夫离婚的时候，并不顺利，后来还是正在武汉音乐学院上学的阿力宝帮她出了主意，要她以其人之道还治其人之身，反过来到他单位闹，而翻砂工是个要脸的人，被老婆追到厂里公开要求离婚，搞得全厂都知道，一次两次，还有三次四次，如果再不离，实在没有地方放脸。最后只好摆出男子汉的气概，说"老子早就不想要她了"，才把婚离了。

余曼华离婚之后，当初追他的那个医生早已是孩子爸爸了，那年月离婚显然没有今天这么流行，所以医生不可能继续追她，而且那些男人们仿佛是商量好的，一结婚全部都结婚了，一个也没有给余曼华留下。等到后面再分配来大学生的时候，知识分子已经由臭老九摇身一变成了香饽饽，吃香得不得了，连一般的护士小姐都看不上，哪里还会追一个比自己大一拨的离婚的余曼华？但如果再让余曼华去嫁给一个工人，她又不甘心，如果甘心，干吗跟那个翻砂工离婚呢？如此，一个好好的女人，竟然就这样被耽误了，不是命苦吗？

大概是当初自己离婚的时候得到过妹妹的指点，所以余曼华此后对妹妹的婚事也就热衷于指点。具体到天涯常客和阿力宝这里，当初他们结婚的时候，余曼华就强烈干预过，主要是觉得天涯常客小气，那么大的老板，竟然没有让他们家沾什么光。其实当初天涯常客刚刚创业，也就是架子拉得比较大，并没有多少实力，在公司经营最困难的时候，甚至要靠阿力宝的私房钱为员工们发工资。再说凡是当老板的，在他们创业的初期，资金都是相当紧张的，不仅把自己的钱全部用于投资，甚至还要从朋友那里借钱投资，哪里有什么光让余曼华她们沾？但是，余曼华不管，她

认定是天涯常客小气,并且把她的认定传染给全家人,于是,余家人全部都认定天涯常客小气,致使当初他们结婚的时候阿力宝承受了不小的压力,差一点就没有结成。这次阿力宝从深圳一回到武汉,并且是带了钱回来投资做场子,余曼华立刻就给她出主意:离婚。

余曼华对阿力宝说:既然你回来了,而他不回来,那么你们分手是早晚的事情。

阿力宝一听,有道理,因为同样的话天涯常客就已经说过了。

余曼华又说:"现在你们离婚,这投资的钱就归你了,最多就是打一张条子给他。而如果将来休闲中心火起来了,再分手,就不是这个数了,肯定是要按当时的价值计算。真要是把钱给到天涯常客的手上,也认了,问题是那时候他身边肯定有一个小妖精,你便宜那个小妖精做么事?"

阿力宝一听,也有道理。根据她掌握的情况,这个休闲中心肯定能成气候,到时候真要跟天涯常客协议离婚,休闲中心肯定升值了,即使不找评估机构来专门评估,就是打一个广告说转让,转让价肯定也不止现在投资这个数。天涯常客是做过企业的人,这个道理肯定懂,到时候扯起皮来,一定麻烦。再说根据天涯常客现在在文坛上的势头,用不了多长时间,身边有一个小妖精是必然的。深圳的男女比例是1:7,三十几岁的女白领比比皆是,她们中的大多数由于个人条件比较好,心气又高,所以高不成低不就。过了三十之后才发慌,像天涯常客这样年龄合适相貌堂堂加上有一个作家光环,肯定立刻就被抢掉,到那个时候,我被他甩?

这么想着,阿力宝就很气愤,就仿佛看见天涯常客此时此刻已经和某个小妖精在大梅沙浪遏飞舟了。

正在这个时候,天涯常客从深圳给阿力宝打来电话,阿力宝当然没有好口气。如此两次,他们就说到了离婚。然而在他们离婚的时候,天涯常客并没有提到钱的事情,仿佛他根本就没有给过阿力宝钱一样。阿力

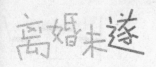

宝一开始还非常纳闷,以为他是忘记了,或者是根本就不打算离婚,所以把最难谈的话题放到最后才抛出来,到时候让阿力宝没有办法接受,只好放弃离婚。但是没有,直到把离婚证都拿到手上了,不要说打条子了,连提都没有提一下,这让阿力宝感到非常意外。后来,她想着肯定是天涯常客找到一个非常有钱的女人了,所以根本就不在乎这点钱。为了证实自己的想法,阿力宝曾找个借口于半夜三更把电话打到深圳,打到天涯常客的家,居然发现他并没有出去,而且听口气旁边也不像有女人的样子,阿力宝觉得奇怪了。终于有一天,阿力宝想着反正事情也已经过去了,不可能再反悔,于是在电话里面问天涯常客这件事情,问他在离婚的时候对钱的事情为什么提都没有提一下。天涯常客说:"当时我给你的时候就根本没有想着再往回要。再说,你当初不也帮过我吗?"阿力宝听了,当场就落了眼泪,才发现是自己误解天涯常客了,并感觉自己丢了一个好男人,好丈夫。这种想法一经产生,势不可挡,竟然联想起了天涯常客的诸多好处。比如有学问,比如不抽烟不喝酒,比如事业心强,比如待人诚恳,还比如善良等,并且突然发现天涯常客其实一点都不小气,甚至是天底下最大方的男人。因此,她认定自己回武汉或许是对的,但跟天涯常客离婚肯定是错的。她后悔了。

第三十一章 男人为女人花钱未必是爱，女人为男人花钱则肯定是爱

阿力宝是个非常有激情的女人，尽管已经年过四十了，但感情上比较年轻，所以一旦后悔起来，竟然跟初恋的少女第一次失恋一般，排山倒海。好在这时候她生意上比较顺利，而且似乎已经重新找到了属于自己的位置，所以，她的精神还不至于全线崩溃。但是，生意上的顺利和事业上的成功并没有减轻她心中那种如少女失恋般的痛苦。甚至，生意越红火，阿力宝心里就越难受，就越发勾起对天涯常客的思念。毕竟，这个火红生意的启动资金正是天涯常客提供的，无偿提供的。

阿力宝到底是武汉女人，是武汉做老板的女人，并且这个在武汉做老板的女人还在深圳呆过几年，所以，真的拿得起放得下，而且生活的磨难也让她懂得机会对人的一生是何等的重要。当她意识到自己不能没有天涯常客之后，并没有像一般的女人那样自己默默承受痛苦，而是立刻就采取了补救行动。这个行动的第一步就是立刻用特快专递给天涯常客寄去武汉特有的香肠和咸鱼。

阿力宝对天涯常客非常了解,知道天涯常客喜欢吃这东西,而这东西只有武汉才有,换一个地方生产的,甚至是换一个时间加工的,就完全不是这个味道。当初他们还在武汉生活的时候,每年春节前几天,也就是农历的腊月间,他们就专门赶到菜市场,当场买鱼买肉,当场请人加工。而每年的那个时候,武汉的各大菜市场就专做这个生意。专门卖适合加工的鱼和肉,专门有人带着设备和配料等在那里帮别人加工,收取费用。所以,那时候他们每年都加工几百块钱的咸鱼和香肠,一直吃到夏天。来深圳后,虽然不能亲自加工了,但是每年阿力宝仍然寄几百块钱回去,委托亲戚购买和加工,然后等阿力宝春节回武汉的时候带来。带回深圳自己享用,也带回来送给深圳的好朋友共同享用。但是,今年没有了,今年春节之前他们就离婚了,阿力宝再也没有来深圳,所以,今年天涯常客就没有再吃到这种由真材实料加工的地道的武汉咸鱼和香肠了。

天涯常客收到特快专递之后,非常意外,第一个反应就是不值得,邮寄的费用超过被寄物品本身的价值。但是,他很快还是被感动了,想着阿力宝就是阿力宝,还是想着他,还是那样舍得为他花钱,而且花起钱来不考虑成本。

天涯常客曾经说过,男人舍得为女人花钱并不代表他爱这个女人,但如果一个女人舍得为一个男人花钱,那么她肯定深爱这个男人。现在他发现,阿力宝就是一个舍得为他花钱的女人。

出于感动,也出于礼貌,天涯常客当场就给阿力宝打了电话,说谢谢她,同时也批评她浪费,说这样做不合算,也不值得。

"我知道不合算,"阿力宝说,"但是值得,只要你喜欢吃就值得。你喜欢吃吗?"

天涯常客听出话语中的暧昧成分,但还是不能否定他喜欢吃。他确实是喜欢吃,所以回答:"喜欢,当然喜欢。"

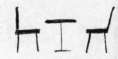

"喜欢我就再给你寄。"

"不用了不用了，千万不要再寄了。已经够了，足够了。"

"你想我没有？"阿力宝问。

天涯常客不说话了。要说一点没有想，那是假话，而且也太绝情，一日夫妻百日恩，他们毕竟是七八年的夫妻呀，哪能一点不想？可要是说想，这是什么话？既然已经离婚了，既然已经决定马上就要跟大白象结婚了，还对阿力宝说这话是什么意思？所以，天涯常客只能选择不说话。

说来很怪，每当想起自己要和大白象结婚的事情，却勾起天涯常客对阿力宝的思念，仿佛他以前与阿力宝办的那个离婚手续并不是真的，而只有当他和大白象结婚之后，他与阿力宝才算真正离婚了，所以，才必须真正认真考虑一样。如此，随着3月21日这个日子的临近，天涯常客还真的越来越想阿力宝了。

但是，这个话他是不能对阿力宝说的。说了对已经与他离婚的阿力宝没有好处，对即将与他结婚的大白象更不公平。所以，这个时候天涯常客只能选择不说话。

天涯常客是不说话了，但是阿力宝有话说。

"你知道今天是什么日子吗？"阿力宝问。

天涯常客更加不敢说话，他想着既然阿力宝能这样问，那么就说明今天肯定是一个与他们的爱情或婚姻有什么关系的日子。有什么关系呢？是多年以前他们结婚的日子？还是去年他们离婚的日子？都不是啊。

难道是他们第一次认识的日子？还是他们第一次上床的日子？

天涯常客使劲想，可惜就是想不起来，再说就是想起来也不敢说，最好不说。

"今天是正月十五。"阿力宝说。

正月十五天涯常客知道，大白象昨天就说了，说今天是正月十五，他们单位有活动，今天就不跟天涯常客见面了。所以，天涯常客知道今天是正月十五。但是，正月十五与他和阿力宝有什么关系呢？而如果没有关系，她为什么要问呢？

天涯常客疑惑不解。

"今天武汉放焰火。"阿力宝说。

天涯常客仍然没有说话。他糊涂了，更加糊涂了，不知道武汉放焰火与他们之间有什么关系。而如果没有任何关系，阿力宝为什么要问他是什么日子。

"你还记得上次我们在深圳看焰火吗？"阿力宝又问。

阿力宝这样一问，天涯常客就想起来了。想起来大概是在2000年国庆节，深圳放焰火。那时候是天涯常客生意最艰难的时候，由于没有投入研发，用价格优势顶替国外的产品，没想到国外突然产品更新，价格下降，使天涯常客生产的产品成了垃圾，而工人的工资一分钱不能少，时间一天不能拖，这边已经没钱交房租了，那边供货商还天天催款，甚至还请讨债公司出面，搞得天涯常客连自己的房子都卖了，暂住在华福北一个朋友的家里。

那次深圳焰火是在如今的市民中心放的。

那时候深圳市民中心还只是一片工地。

那天去看焰火的人特别多。

那天确实是他们相当开心的一天。因为就在那一天，天涯常客全额支付了工人工资，付清了水电费和房租，卖了车卖了房卖了设备卖了废品，偿还了供货商的全部货款。虽然一无所有了，但天涯常客却深切地体会到无债一身轻。

当然，他忘不了阿力宝，因为阿力宝也拿出了自己的私房钱。

"你还记得那天我们玩得很开心吗？"阿力宝问。

"记得。"天涯常客说。天涯常客终于说话了。

"你还记得那天我高兴得在草地上翻跟头吗？"

"记得。"天涯常客又说。

"你记得那天回来的时候你背我的吗？"阿力宝又问。

天涯常客又不说话了。不敢说，怕一说话就让阿力宝听出他的哽咽声。

天涯常客哽咽了。他当然记得那天背阿力宝的事。

那天深圳放了很多焰火，深圳好像从来就没有放过那么多焰火，天涯常客从来也没有看过那么多好看的焰火。所以那天他们玩得很开心。焰火结束之后，阿力宝甚至高兴得在草地上翻跟头。阿力宝从小就是专业文艺团体培训出来的，所以能翻跟头，而且翻得很好，好多年没有翻了，那天一高兴，竟然能连续翻那么多跟头。回来的时候，道路被人挤满了，走不了车，大家一起步行往回走，沿着深南路的辅道从高交会馆向上海宾馆走。浩浩荡荡，煞似壮观，搞得像大游行。走到一半，阿力宝走不动了，不知道是到底不年轻的缘故，还是先头太兴奋，翻了太多跟头的缘故，反正是走不动了。于是，天涯常客就背她，像背小孩那样两腿叉开地背她。背了好远，差不多从岗下背到田面村了才放下。这情景，如果不提，当然没事。如果一说，马上就能让天涯常客想到太多的事情。比如想到当初他们为了支付工人工资而变卖车子的事情，比如想起为了支付房租和水电费而不得不出让自己住房的事情，比如为了偿还供货商的货款而贱卖设备并把设备支架和工作台当废品处理的事情，甚至还想起住在别人家那种小心翼翼的感觉，想到他们喝一瓶可乐还你推我让的细节等。再想到自己马上就要与另外一个女人结婚了，跟阿力宝的感情只能永远成为回忆了，天涯常客又一次控制不住自己的眼泪。这时候，只要他说话，说任何话，那么传过去的，肯定是哽咽声。为了不让阿力宝听到自己的哽咽,天涯常客就只能选择不说话。

"我想你。"阿力宝说。

天涯常客不说话,但抽了一下鼻涕。

"我很后悔。"阿力宝继续说,"我对不起你,我真傻,我心里好难受。我觉得没有什么比失去最爱的人更让人难受了。"

阿力宝哭了。说不下去了。从电话里传过来的,是经过努力克制的哽咽声。一口接一口,好像已经喘不过气来。

天涯常客很想过去帮帮她,比如帮她拍一下背,可如今的科学技术还没有达到让他从电话线里钻过去的程度,所以未能如愿。

天涯常客又抽了一下鼻涕,因为此时的鼻涕已经流到了嘴上。他不得不扯了一张纸巾擦鼻涕。但纸巾的质量不是很好,而且他来回擦的次数比较多,所以天涯常客的鼻子下面擦得有点痛。

"我要结婚了。"天涯常客说,哽咽着说。由于哽咽得太厉害,所以说出的声音有点变调,不连续,也不是很清楚。

"我知道。"阿力宝说。同样哽咽,同样的变调,同样的不连续,但很清楚。

"你怎么知道的?"天涯常客问。天涯常客在这样问的时候,哽咽程度比刚才低一些,仿佛忘记了自己的哽咽,带着一点警觉的味道。

"肯定是这样的。"阿力宝说,"我知道是这个结果。知道你很快就会结婚的。所以我很难过。"

"你呢?"天涯常客问。

"我现在就想赚钱,还没有想起来考虑这个事情。"

"有没有人追你?"

"呃……没有。"阿力宝支吾了一下,问:"她是做什么的?"

"谁?"天涯常客一愣。

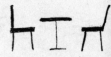

"那个女人。"阿力宝说。

天涯常客略微停顿了一下，没有说"庭长"，而是回答"公务员"。他觉得这样显得谦虚一些，也让阿力宝好接受一些。

"噢，那不错呀。"阿力宝说。说话的声音已经少了哽咽。

"是不错。我挑不出毛病。"天涯常客说。说话的声音同样少了刚才的哽咽。

"这么说你马上要搬走了？不在这里住了？"阿力宝问。

"是……"天涯常客回答得有气无力，眼泪又下来了。这个家是他在破产之后买的，所以很小，小到还不如大白象那房子的一半大，并且里面的装修和设备也远远不如大白象家的好。但是，这毕竟是他们在最艰苦的条件下，亲手一点一滴辛辛苦苦积攒起来的呀！这里面的每一块瓷砖、每一件小装饰，甚至每一样小物品，都凝聚着他们的精心挑选和精打细算啊！这里面所蕴涵的心血和情感，是大白象家那豪华的装修和精美的布置能相比的吗？

"如果我们俩再回头，该怎么生活？"天涯常客问。

"听你的，"阿力宝说，"如果你愿意回武汉，我打算把汉口那套房子卖掉，用按揭的办法把这套房子买下来，你把深圳的那套房子卖了，在这旁边买一个大大的公寓。只要我这套房子买下了，一辈子就生活不愁了。现在我还能做就自己做，过几年自己不想做了，出租给别人做，保证我们俩生活不成问题。"

"但我不想离开深圳呀。"天涯常客说。

"如果你不想离开深圳，"阿力宝说，"那我们就先分居一段时间，等我赚足了钱，你到哪儿我都跟着你到哪儿。"

天涯常客再次停顿了一下，问："多长时间？多少钱？"

"就今年，"阿力宝说，"赚一百万。"

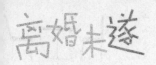

　　天涯常客叹了一口气,说:"你怎么敢保证今年能赚一百万?再说,就算你能赚一百万,在深圳又算什么钱呢?很快就会又用完的。你上哪里又能挣一百万?问题还不在钱,在于生活方式。你在深圳能找到自己的生存空间和生活方式吗?找到那种事业成功如鱼得水的感觉吗?如果找不到,即便有钱,你也会感到不开心的。到那时候,我们又回到老问题上,你又会跟我闹别扭,然后大家又是相互埋怨,相互厌倦,最后还是说到分手。"

　　"不会的,"阿力宝说,"这次不会的了。"

　　天涯常客叹了更大的一口气,心里想:以前你也是这么说的。以前你从武汉追到深圳,说要和我结婚,我只提了一个要求:将来无论发生什么事情,我们都要坚决在一起,绝对不离婚,你当时也答应了,甚至在我最困难的时候也没有离开我。但是,感情经不起时间磨啊,磨到最后,希望没有了。爱情也就走到尽头了。最后,你还不是义无返顾地回武汉,义无返顾地和我离婚了吗?

　　尽管这么想,但天涯常客并没有这么说,而是说:"再说吧,让我们都再想想。好吗?"

第三十二章 婚姻是一场赌博么

　　天涯常客不是搪塞阿力宝，他真是在想。事实上，在以后的几天里，他一直陷入真正的两难选择之中。

　　他忽然发现，婚姻其实是一场选择，一场生命中最重要的选择。而生活中又有多少人能在这场最重要的选择中做出正确的判断呢？所以，从这个意义上说，婚姻其实又是一场赌博。因为凡是没有把握的选择都是赌博。

　　天涯常客现在就在选择，或者说是在赌博。

　　论感情，不用说，天涯常客当然想着阿力宝。尽管他们爱过也恨过，并且爱得热烈恨得刻骨。但正因为这种热烈和刻骨，磨砺了双方的感情，千锤百炼的感情。甚至，天涯常客发现最让他难忘的，并不一定是他们在一起度过的那些美好的幸福时光，相反，恰恰是那些他们在一起经历的苦难和磕磕碰碰，包括天涯常客公司破产之后和破产之前那段经济的窘迫和生活的困苦，以及天涯常客决定当"坐家"之后阿力宝由于无所事事而故意制造的那些磕磕碰碰。在今天,这些苦难和磕磕碰碰倒成了天涯常客回忆他和阿力宝在一起最难忘的画面。

但是论现实,天涯常客应当说话算话,按照他与大白象商定的日子,3月21日去登记结婚,过上一个符合深圳主流社会标准的正常的体面生活。这是一种真正的体面生活,不是他在内地时那种经济拮据的生活,也不是他在外企当区域经理时那种表面风光却自己不能掌握自己命运的生活,甚至也不是他自己创业在深圳当老板那种刚开始雄心勃勃最后却不得不变卖车子和住房的生活。当然,更不是在他破产之后那种住在朋友家不敢大声说话不敢痛快放屁的生活,甚至也不是如今这种事业虽然成功但经济并不宽裕的生活。天涯常客认为,体面的生活由三个要素构成,第一是经济富裕,第二是安全安逸,第三是有成就感。对于天涯常客来说,主要问题是经济不富裕。下海之前是,现在仍然是,而中间当外资企业经理或自己创业当老板虽然相对富裕,但在外资企业的时候命运不在自己手中,没有成就感,自己创业当老板的时候天天面对风险,无安全感,也都不能算体面的生活。

天涯常客突然发现,在中国,一个人是否能过上体面的生活,与他的出身和所从事的职业有直接关系。比如大白象,尽管她在那个行业里成就一般,但只要她自己不胡来,就绝对安全,经济宽裕而且受人尊敬,自然过上体面的生活。再看看天涯常客,尽管他是行业里的佼佼者,但只要他不胡来,就几乎永远达不到大白象的富裕,过不上体面的生活。再拿阿力宝和大白象两个女人相比较,阿力宝明显比大白象努力,人也并不比大白象笨,并且付出的肯定比大白象多,但是得到的呢? 显然不如大白象。这种状况显然不合理,但是天涯常客没有能力去改变现实,他只能去适应。这时候如果他选择大白象,他就适应了,彻底适应了。那么,他不该选择大白象吗? 再说,正如天涯常客电话里面对阿力宝说的那样,他挑不出大白象的毛病。实实在在地说，大白象是个各方面都不错的女人，真的是无可挑剔。放着这样的好女人不要，放着好好的生活不过，又要回头跟阿力宝在一起磕磕碰碰地过紧紧巴巴的日子，不是太不现实了吗？

说实话，这些日子天涯常客头都想大了。想来想去，最后竟然又回归到一个古老的命题上，就是婚姻到底是精神的还是物质的？本来天涯常客作为作家，好像早已经知道这个问题的答案。因为他早知道主流观点一直都强调没有爱情的婚姻是不道德的婚姻，而爱情当然属于精神层面的，是与感情直接相关的，两个没有物质基础的人也可以拥有美好的爱情，无论是西方现代文明中标榜的婚姻爱情观还是中国古代戏曲中的牛郎织女，都是弘扬爱情至上这个伟大主题的。但是，同样是作为作家，天涯常客清楚地知道，凡是需要被"弘扬"的，往往就是做不到的，或者说是在现实生活中不容易做到的。如果那么容易做到，还需要"弘扬"吗？

天涯常客拿不定主意，他决定找人商量。

这是天涯常客的优点，遇到拿不定主意的事情，就喜欢找朋友商量。

天涯常客是明智的。他知道，找朋友借钱是最坏的习惯，但找朋友商量是最好的习惯。天涯常客相信，再大方的朋友也不喜欢把钱借给别人，再小气的朋友也喜欢给别人出主意。莎士比亚说过，把钱借给别人，人财两空。反过来也这样，向朋友借钱，往往是钱没有借到，在朋友心目中的分量却减轻了。所以他从来不向朋友借钱，也极少把钱借给朋友，如果实在抵不过面子，干脆赞助一点。但是，遇事找朋友商量的情况相反。天涯常客认为，找朋友商量其实是向朋友请教或讨教。无论是请教还是讨教，都是受朋友欢迎的。根据天涯常客的人生经验，绝大多数人都是好为人师的，至少绝大多数知识分子是好为人师的，而按照中国人对知识分子的准确定义，凡是接受过中等专业教育以上的人都是知识分子。如此，天涯常客的朋友几乎都是知识分子。既然如此，那么在天涯常客看来，遇到问题找朋友商量,或者说找这些身为知识分子的朋友商量,不但不会给他们带来麻烦,反而能给他们带来快感。并且,天涯常客还发现,通过找朋友商量,或者说是向朋友请教,不但不会给朋友添麻烦,反而更能加深他与朋友之间的信任与沟通。道理非常简单,一旦天涯常客遇到什么烦心事或自己拿不定主意的事情找朋友商量了,就等于把他自己心中的秘密告诉朋友了。如此,不是显得自己对朋友信任与贴心吗?而贴心和信任往往是相互的,他对朋友贴心和信任了,朋友自然对他也就贴心与信任。所以,天涯常客虽然从来不向朋友借钱,却喜欢跟朋友商量。

天涯常客的这个习惯还有实用价值,还曾经为他带来过财运。

我们前面说过,天涯常客是文人,过去是文人,现在仍然是文人。但是,在两次文人之间,有过那么一段从商的经历,正是在他从商的时期,喜欢向朋友请教或讨教的习惯为他带来过财运。

天涯常客从商的那个时期,中国的市场经济制度还没有现在这么健全,所以,说得好听一点,那时候做生意主要靠大胆探索;说得不好听一点,主要靠钻国家政策的空子。用天涯常客的话说,就是找"楔子"。具体地说,就是找出国家政策上的一个漏洞,然后专门为这个漏洞制造一个大小和角度合适的"楔子",塞进去,使劲一打,把缺口打开,让国家的钱流进自己的腰包。所以,那时候做生意的关键是找"楔子"和塞"楔子"。天涯常客聪明,找到漏洞不难,制造"楔子"也不难,关键是要把"楔子"正好塞进漏洞里,这个过程比较难。因为"塞"的这个人手中必须有一定的权力,否则"塞"不进。怎么办?找人商量,或者说是向人请教与讨教。向谁请教和讨教?向手中有权或者说是有能力把"楔子"塞进漏洞里的人请教与讨教。请教或讨教的做法是天涯常客明明已经找到塞进"楔子"的办法了,但并不去塞,而是故意去请教具体负责堵塞这个漏洞的政府部门的有关人员,故意向他们"请教"。而这些人也是人,也是知识分子,也好为

人师，甚至由于地位优越而更加好为人师，加上天涯常客"请教"或"讨教"的态度诚恳，并且也不是白请教，要缴"学费"，所以，这些人往往先是谦虚一番，然后就诲人不倦，就对天涯常客认真指点一番。告诉天涯常客哪里是要害，该在什么时候用什么方式采取什么角度去"塞"。如果天涯常客还带上一个靓女一起去共同"请教"，那么，这些人往往指教得更加认真和彻底。不但告诉他们怎么塞进"楔子"，而且在这些"楔子"被塞进去之后，为了证明自己当初的"指教"英明正确，还亲自帮他们对着"楔子"猛打一下。于是，口子果然开大了，实践证明该人物的"指教"确实有水平。如此，天涯常客的"商量"或"讨教"不是给他或他的老板带来滚滚财运吗？

事过境迁。现在天涯常客已经不做生意了，不但自己不做生意了，而且也不帮任何老板做生意了，所以，现在他再也不需要向任何人讨教如何将"楔子"塞进政策法规漏洞里面的问题。但是，虚心求教的习惯并没有改变，人性中好为人师的本性也没有改变。所以，每当遇到难题，他还是喜欢找别人商量，向别人请教或讨教。比如现在，关于他在阿力宝和大白象之间到底该如何选择的问题上，他就开始向别人请教。当然，是在朋友圈子里请教，而且是单独请教。

果然，每一个接受天涯常客请教的人都怀着极大的热情耐心指导。尽管天涯常客的这些朋友的第一句话都是千篇一律的，说"这个事情只能你自己决定"，但是，他（她）们都架不住天涯常客的态度诚恳。当天涯常客摆出一副绝对知心无限信任言听计从的态度再次请教的时候，他（她）们往往都以一句"如果你真要是问我，那么……"开始，说出一大堆关于如何选择的高论。

也确实是高论。因为他们说的很多东西都闪烁着智慧的光芒，往往在他们说出来之后，这些智慧要在天涯常客的脑海中不断地闪烁很多次，就像世界杯足球赛的精彩进球集锦，是要反复播放的一样。更因为这些意见比较全面，有正方意见，也有反方意见，像在辩论，所以到最后，天涯常客几乎每天24小时都在自己的脑海中播放正反两方面辩论会。

正方朋友说："当然要阿力宝。这还用问吗？婚姻是以感情为基础的。没有感情的婚姻是不道德的婚姻。如今很多人找不到真正的感情，你既然已经找到了，还轻易放弃，不是太可惜了吗？"

反方朋友马上反驳："感情是可以培养的。你跟阿力宝的感情肯定也不是一开始就有的，也是慢慢培养成的。现在你跟大白象，可能一开始是没有多少感情，但是随着时间的推移，你们的感情会越来越深，说不定将来能超过现在你跟阿力宝的感情。"

正方朋友不同意这个观点，说："如果你今年三十岁，那么就不用说了，有足够的时间和大白象慢慢培养感情，但是你毕竟是四十多岁的人了，还能有多少感情'慢慢培养'？所以，一定要珍惜已经培养起来的感情，这种感情是多少金钱也买不来的。"

反方朋友不甘示弱，马上说："时间也是一把双刃剑，不一定总是向着有利于感情发展的方向发展。与大白象结婚，朝夕相处，经济不愁，心情愉快，感情向好的方向发展；回头与阿力宝复婚，分居两地，经济拮据，相互抱怨，感情越来越浅，到时候反目为仇也不是没有可能的，到那个时候，你到哪里还能找到大白象这样的好女人呢？"

正方说："货是新的俏，人是旧的好。"

反方说："好马不吃回头草。"

辩论的结果是没有结果。

天涯常客更加糊涂了。

第三十三章 是结婚未果还是离婚未遂

天涯常客的最终决定与两个小插曲有关。

第一个插曲是大白象那天去银行给她儿子汇款,天涯常客无意当中问了一下,问她儿子每年要花费多少钱。

"不多,"大白象说,"三十万人民币吧。"

大白象说得轻松,天涯常客听得沉重。因为阿力宝的女儿也在澳大利亚,每年的花费只有十万。十万和三十万,相差三倍呢。所以,天涯常客心情沉重,突然觉得这些年委屈孩子了,亏欠孩子了。同样是十几岁的孩子,同样在澳大利亚留学,为什么大白象的儿子每年花费三十万,而阿力宝的女儿只花费十万?联想到当初就是这十万,天涯常客还抱怨给多了,抱怨阿力宝的女儿不知道节约,比如不该每个春节都要回来,说如果不回来,省下来回机票不说,还正好可以利用假期打工挣点生活费,减轻一点家长的负担。现在与大白象的儿子一比较,天涯常客就觉得当初太委屈孩子了，就觉得很内疚。当天晚上回来，天涯常客忍不住给阿力宝打了一个电话，说了这件事情，说着说着竟然又哽咽起来，无意当中把阿力宝的孩子当成了他自己的孩子了。于是，天涯常客突然发现，他与阿力宝甚至与阿力宝的女儿之间，其实已经培养出亲情了。对于一对再婚并且没有再要共同孩子的半路夫妻来说，这是多么地不容易啊！这样的感情能轻易舍弃吗？

天涯常客的天平立刻向阿力宝倾斜。

前面说过，在事业上，天涯常客感觉自己是这个世界上最幸福的人，因为他已经找到自己最喜欢做的事情，并且从事这种事情，而且做得得心应手，有成功感和满足感，相对于这个世界上绝大多数人其实并不知道自己最喜欢做什么事情。或者知道，但是做不了，再或者知道，并且也做了，但是却发现做不好来说，天涯常客是最幸运的。

现在，他把这种"幸福理论"加以拓展，从事业领域拓展到婚姻与爱情领域。因为他认为，真正的幸福必须来源于两个方面，一是事业，二是婚姻。通过推广，天涯常客认为，如果他选择阿力宝，那么在婚姻和爱情上，他也是这个世界上最幸福的人。天涯常客认为，这个世界上绝大多数男人并不知道自己最喜欢什么样的女人；即便知道了，也未必正好能碰上；好不容易碰上了，也不一定就能成为夫妻。极少数运气特别好的男人，知道自己喜欢什么样的女人，并且也非常幸运地碰上了自己最喜欢的女人，而且更加幸运地跟这个自己最喜欢的女人结婚了。但是结婚之后才发现，这场婚姻并不幸福。而天涯常客比他们都幸福，因为他知道自己喜欢阿力宝，也知道阿力宝喜欢他，并且他们的婚姻是经过考验的，不存在"押宝"的问题。所以，如果他与阿力宝复婚，那么在婚姻和爱情问题上，他同样是这个世界上最幸福的人。那么，他是不是就有了明确的选择

了呢?

　　未必。因为紧接着后面发生的另外一个插曲,把本来已经明显偏向阿力宝倾斜的天平又拉回去不少。

　　这次是《香草》的杜老师因公来深圳。前面说过,杜老师是把天涯常客领上文学之路的人,如果当初不是杜老师慧眼识珠,让天涯常客第一次投稿就顺利发表,那么,天涯常客可能就不会走上文学创作的道路。所以,杜老师来深圳之后,天涯常客几乎天天陪着他。除了陪杜老师观光游览之外,他们在一起更多的时候是交谈。不用说,他们交谈最多的是天涯常客当前的选择。

　　不知道是不是老乡的缘故,在天涯常客婚姻的问题上,杜老师一直是倾向于阿力宝的。但是,那天天涯常客无意当中说了一件事情,一下子改变了杜老师的看法。

　　天涯常客无意当中对杜老师说:他和阿力宝共同生活的这么多年里,阿力宝的经济状况一直对他是保密的,在外面工作挣多少钱,既不拿回来交给天涯常客,也不告诉天涯常客她挣了多少,全部自己悄悄地存起来。

　　"你问过她吗?"杜老师问。

　　"问过。"天涯常客回答。

　　"她怎么说?"杜老师又问。

　　"吵架,"天涯常客说,"一问就吵架。说'你是男人,还惦记老婆的钱'。其实我不是惦记她的钱,就是问问。作为夫妻,而且是多年的夫妻,我觉得应该问问。"

　　杜老师不说话了。先是不相信,后表示不可思议,最后脸色凝重。

　　"如果你说的是真的,"杜老师说,"那么我只能说这种情况我没有见过,也没有听说过。如果这样,那还算什么夫妻呢?所谓夫妻,就是同甘共苦,相依为命,相互搀扶着走过漫漫人生路。如果真是像你说的这样,那么你对她的感情是真的,但是她对你的感情不一定是真的。"

杜老师的话对天涯常客无疑是当头一棒。因为他自己知道,真是他说的那样。并且,天涯常客还进一步往前想,想着经济上的"划清界限"是不是导致他和阿力宝离婚的重要原因之一呢? 天涯常客想了想,应该是的。结婚这么多年,阿力宝在经济上对天涯常客始终抱着不信任的态度,要不然,他也不会买这么小的房,这么小的车。阿力宝曾经抱怨天涯常客买的房子小了。但是,当初买房子的时候,天涯常客刚刚破产,而阿力宝没有破产,所以她比天涯常客有钱,她自己为什么不能拿出一部分钱来呢? 天涯常客心粗,当时没想,现在一回想,敢情天涯常客的钱是他们俩共同拥有的,而阿力宝的钱完全是她个人私有的。天涯常客的稿费虽然不多,但是每次拿回来,都全部交给阿力宝,有时候拿了1 900元,甚至还自己加100元,凑个整数交给阿力宝,让她高兴。尽管阿力宝从来也没有把天涯常客交给她的钱占为己有,而是放在抽屉里,用于家庭日常生活开支。但是,阿力宝自己领回的工资怎么从来都没有交给天涯常客或者是放在抽屉里两个人共用呢?

对于阿力宝的这种做派,天涯常客当然反感,但还是抱着能够理解的态度。理解阿力宝作为女人,缺乏安全感,总想自己手上多留一些钱;理解她女儿在澳大利亚留学,随时需要用钱;理解她哥哥大事做不了,小事不愿做,总是花她父母的钱。而他父母本来就不宽裕,一旦把钱给儿子花了,就不得不把手伸向女儿,所以,阿力宝手上必须要有钱。

但是,理解归理解,对感情的伤害归伤害。天涯常客记得每当阿力宝打麻将输钱的时候,天涯常客不但没有像其他做丈夫的那样因为老婆输钱心里不舒服,相反,还暗暗高兴。为什么会这样呢? 因为这些钱如果不

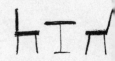

输掉，阿力宝就会给她父母，准确地说是给她哥哥。而天涯常客认为他哥哥是个健康的人，应当自食其力，所以并不希望阿力宝总是资助他，包括不要间接地资助他。所以，遇到阿力宝打麻将输钱时，天涯常客就不但不心疼，反而暗暗高兴。

当天涯常客把这种情况对杜老师说出之后，杜老师的看法就彻底改变了。

"夫妻关系到了这个份上，还是夫妻吗？还能维持下去吗？"杜老师问。

"是不能维持，"天涯常客说，"所以不是离婚了嘛。"

"那你还要复婚？"杜老师又问。

天涯常客没话说了。

天涯常客最后决定选择大白象倒不一定是杜老师态度转变的原因，而是他自己换了一个方式思考。就是把复杂的问题先做简化处理，好比数学当中的先是合并同类项，再提取公因式，最后才开始解题。

天涯常客把最后的问题简化到"婚姻"二字上。不考虑感情，也不考虑到经济，甚至不考虑价值观，而仅仅只考虑夫妻共同生活。

什么叫"夫妻共同生活"？夫妻两个人，只有睡在一张床上才是"夫妻共同生活"，如果不能生活在一个屋檐下，不睡在一张床上，叫什么"夫妻共同生活"？

现在天涯常客如果跟阿力宝复婚，还是不能跟她生活在同一个屋檐下，不睡在一张床上。而跟大白象结婚，则可以生活在同一个屋檐下，睡在一张床上，所以，天涯常客决定跟大白象结婚。

决定之后，天涯常客突然感到一阵轻松，同时发现，这个问题本来是非常简单的，硬是被他自己搞复杂了。无论什么事情，只要从最基本的意义上考虑就简单。比如两个人结婚，从最基本的意义上讲，就是一男一女两个人合法地在一个床上睡觉，如果结了婚或复婚之后不能在一张床上睡觉，那么结什么婚？所以，如果从最基本的意义出发，这个问题连想都不用想，立刻就与大白象结婚。

今天是3月20号，天涯常客和大白象已经商量好了，明天一早他们去民政局办理结婚登记。

赶快登记，天涯常客想，一旦登记了，就什么也不用想了，就全身心投入新的创作。

新的长篇小说他已经构思好了，叫《净土》。说的是一个机关干部，由于看不惯如今官场上的风气，辞职下海，自己做生意当老板。但是，在生意场上干了几年之后，发现生意场上未必比官场干净，甚至还不如官场干净，但此时再回官场已经不可能了，怎么办？想到最后，感悟甘蔗没有两头甜，要想干净，就不要想着升官发财。于是，他就按照"干净"的标准去寻找新的职业，不，应当说是寻找人间净土。几经周折，找了许多行业，找到最后，他终于找到一块净土——文坛。但文坛不是什么人想进就能进的。好在这位仁兄大脑不笨人还执著，加上当了几年老板，暂时不用为生计发愁，最后总算在文坛上争得一席之地。但是，没过两年，他又有重大发现，发现真正的净土根本就不用找，到处都是，就在每个人心中。只要他自己有包容心，想着官场是净土，那么官场就是净土；想着生意场是净土，那么生意场就是净土；想着文坛是净土，那么文坛就是净土。既然如此，这位仁兄想，那么我为什么不继续做官呢？于是，这位仁兄又找到了自己的人生目标——还是要做官。做什么官？做主席呀！先做作协主席，再做文联主席。等到老子当上文联主席了，这位老兄想，老子就又是正局级领导了，甚至比一直赖在机关不下海的同事升得还快。

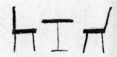

大约是终于决定明天与大白象登记结婚的缘故,也有可能是长篇小说《净土》构思顺利的缘故,那天晚上天涯常客在12点之前就上床睡觉了,而没有像平常那样开夜车。

是啊,明天就要登记结婚了,难道今天还不该睡一个早觉吗?

说来也怪,平常天涯常客如果这么早上床,肯定是不能顺利入眠的。但是3月20日晚上,不,应该说是3月21日的那个早晨除外,那天天涯常客一上床就迅速入睡了,而且睡得很香。

正香着呢,突然被人叫醒。

"天涯呀,快开门。我是阿力宝。"

天涯常客想着一定是在做梦。但即便是做梦,他也该起来,因为天涯常客有一个毛病,睡梦中一旦被什么人或什么事情吵醒,甚至是被自己的梦惊醒,就一定要起来,起来上厕所。

天涯常客起来上厕所,稀里糊涂顺便把门打开了。感觉又不是做梦,而真的是阿力宝回来了。

天涯常客并没有完全清醒,想继续睡觉。但阿力宝已经跟着他进了卧室。阿力宝一进来就骂。

"老子半年没回来,你是不是半年没有打扫房间? 这么脏! 蜘蛛网都碰到头顶了。"

骂累了,停顿一下,继续骂。

"老子不给你买,自己就不知道换身新衣服,还是老子以前给你买的那身衣服,让人家瞧不起。"

阿力宝说着,就开始从旅行箱里面往外甩衣服,各种各样的衣服。从西装到短裤,应有尽有,一件一件地砸在天涯常客的身上。好在隔着被单,此时的天涯常客并没有感到疼痛,相反,衣服砸在被单上的轻微压迫

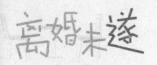

给天涯常客感觉还蛮舒服的。

完了。天涯常客想，这次不是做梦，是真的。她回来了。阿力宝回来了。事先没有打个招呼就大模大样地回来了。昨天晚上乘95次特快，今天早上赶回来了。仿佛她知道天涯常客今天打算与大白象结婚，所以特意赶回来的。仿佛她与天涯常客从来就没有离婚；仿佛天涯常客还是她的老公；仿佛这里还是她自己的家，她想回来随时就可以回来；仿佛她上次离开深圳回武汉就与她以前的任何一次一样，仅仅是回去呼吸热干面的气味去了，现在热干面的气味已经闻足了，于是就回来了。

虽然事实明明就在眼前，但天涯常客仍然不敢肯定眼前的一切到底是不是在做梦，甚至不敢肯定现在阿力宝回来是梦还是现实。但是，有一点是清楚的，非常清楚，那就是阿力宝确实是回来了。不仅刚才那一大堆各种各样的衣服砸在天涯常客身上的感觉是真实的，就是现在，阿力宝贴在他身上的感觉也是真实的。这还能假吗？

天涯常客决定必须面对现实，自我安慰，想着回来也好。阿力宝回来了，他就不怕海伦了。事实上，上次海伦突然神秘地消失之后，天涯常客心里面一直不踏实，隐隐约约总有一种担心，担心哪一天海伦突然又出现在他面前，甚至怀里还抱着一个孩子，说是他的孩子。天涯常客担心如果那样，大白象就不会原谅他。可以说，海伦成了他心中的一块心病。他就是和大白象结婚了也不能消除这块心病，说不定还更加严重。但是，现在这块心病可以祛除了，彻底祛除了。因为阿力宝回来了。一物降一物，有阿力宝在，别说海伦当初可能根本就没有怀孕，只是吓唬他的，就算海伦真的怀孕了，天涯常客也不怕了，有阿力宝在呢，他怕什么？

天涯常客更加清醒了一些，清醒地意识到既然阿力宝回来了，那么他跟大白象的婚就结不成了。

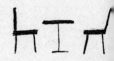

突然,天涯常客冒出一个灵感,灵感告诉他完全可以再写一部长篇小说,名字就叫《结婚未遂》。

不,天涯常客又想,应该叫《离婚未遂》。因为既然他与大白象结不成婚了,那么就相当于与阿力宝还没有离婚,或者说是离婚之后又复婚了,还是离婚未遂。

天涯常客长叹一口气。想着这就是命,摆脱不了的命。一个作家,作品能达到什么高度,是有定数的,一个男人,能找什么样的人做老婆,也是有定数的。听天由命吧。

郑 磊

围城不解风情月
城里城外的月亮

爱情是永恒的主题,但爱无法永久保鲜

爱情,永远是神圣的话题,总是和圣洁、崇高这些字眼联系在一起。到目前为止,我还没有看到有哪位学者将"爱情到底是什么"研究透彻,爱是神秘的、不可思议的。

即使人们的智力和认识水平还不足以揭示爱情的本质,但生活中的事例仍能让我们体悟到爱情的一些特点。比如,爱往往像不速之客突然而至、骤然而逝;爱往往没有理由;爱让人们失去正常的观察和分析判断能力等。因此有人调侃,爱情就是一种幻觉,一种荷尔蒙的产物,一种想象,当这种感受减轻了,爱也随之逐渐分解。

"7年之痒"的规律在统计意义上是存在。如果对离婚问题做统计分析,应该能够看到,从结婚到离婚的时间长度是符合正态分布的,其中7年左右的婚姻占了大头。这个经验规律可以从你身边的亲戚朋友那里得到验证。近几年,平均婚姻存续时间还在缩短。而实际上爱情空巢的婚姻所占比例更多。我也听说过相爱几十年的夫妻,但这种说法多数出自女方的表述,是否可信,值得商榷。

抛开严肃的对爱情的学术研究,谈谈对爱情的直观理解也许能够引出一些共鸣。爱情都包含哪些成分,我以为爱首先是欣赏,特别是视觉上、生理上和性心理层面的好感。应该坦率地承认,赏心悦目的美是爱的基础。人有爱美的天性,否认这一点,是自外于人类的虚伪行径。既然如此,人的审美标准的不同,造成了情人眼里出西施的现象。而生理和性心理上的吸引,有些学者将之归为某种相互吸引的磁场或者体味,也有一定的道理。爱也要靠交流,好看而不好玩的情况是有的,性格脾气是否合得来,相处是否融洽快乐,也是重要因素。最后,这种吸引力是否能够不断强化,抵制住外界冲击保持下去也很重要。

应该说,前两点是很容易具备的。"窈窕淑女,君子好逑",女有情,郎有意,爱几乎已经到了俯拾皆是的地步。所以有人逆反地说,请不要随便说"爱"。如果将爱作为一种情感,而不是给它披上过于沉重的道德外衣,可以说,爱确实是极常见和易于发生的。这是西方人的一般理解,或者被认为是体现人文关怀的一面。与当代中国年轻人挂在嘴上的"爱就爱了""不求永久只求曾经拥有"的宣言颇为接近。

爱不是能够持久保存的。这是爱最大的缺陷,也正是爱之虚无缥缈、不易琢磨之处。毋庸讳言,见异思迁、喜新厌旧都是人类最基本的性格特征。虽因人而异,但也只有程度之分,而无本质之别。无论你是否敢于承认,你一生都不可能只爱过一个人,而你也不能保证自己以后不会对另外的异性不产生爱慕之情。如果有兴趣了解一下我们常常鼎礼膜拜的伟人们,你会发现,无论是马克思、毛泽东这样的革命导师,还是萨特、雨果这类文化巨擘,他们的感情生活都不是一成不变的,只是我们习惯于为尊者讳罢了。人在生活方面,没有伟大庸俗之分。不要习惯于给人贴标签的简单做法,好人或者坏人,并不像男人还是女人那样清晰明确。在事业上卓有成就的人,并不意味着他就能够像圣人那样活着、像精密的机器那样运转。

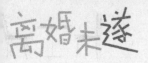

比起爱情,婚姻要朴实和更容易理解

爱情有点琢磨不透,婚姻却容易把握得多。婚姻,本质上就是社会契约,是两个人组成家庭,相互承担责任和义务的约定。婚姻往往还有承担社会责任的意义,比如养育后代,赡养父母。

正因为具备这样的约束,婚姻才显得比爱情更为厚重,具有相对稳定性。从诚信角度看,契约是不应经常修改或者背弃的。尽管现在结婚、离婚的手续都很简便,但人们之所以看重婚姻,还是觉得那总还是一种承诺,大家对于承诺还是比较慎重的。

婚姻的粘性还体现在来自两家亲人和朋友的角色认定,使得婚姻不再是两个人的私事,而具有一定程度的社会性。婚姻双方需要考虑这个亲友圈内人的看法。如果生育了子女,还需要考虑对后代的影响。婚姻因为社会责任和家庭责任而成为"围城"。

婚姻比爱情稳定,并不是因为婚姻能够让夫妻之间的爱保持得更永久,而是在爱之外,用责任来维系着关系。在爱逐渐褪色时,有助于产生别的替代性情感,比如亲情,甚至只是一种习惯。两个人一起生活的时间长了,当初的新鲜感慢慢减少,更多的是日常生活中的琐事和磕磕绊绊、絮絮叨叨,浪漫被现实取代,激情走向平淡。有些人无法适应这样的转变,还保持着爱情阶段的期待,使得婚姻走入危机。而更多的人会调整自己,在家庭生活中磨圆棱角。婚姻是爱情的坟墓,这种说法有一定的合理性。将婚姻视为爱情的延续,是不经世事者的天真想法。婚姻是爱情的结果,瓜熟也就蒂落了。

围城的说法非常形象。钱钟书先生说:"住在围城里的人想冲出去,围城外的人想进来,如此而已。"其实,围城外的人更多的是对居住在围城内的美好期待或者好奇,如果他/她将其视为安置自己的平静的港湾,

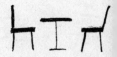

也许失望会小很多,家庭也将更稳固。而围城内的人如果能够保持平和的心态,抵御来自城外的诱惑和冲击,珍视这种舒适安定的生活状态,也就不会有冲出牢笼的念头了。在诱惑之下,围城内的人可以出城逛逛,但日落时分总还是要返回自己的巢穴。最不明智的行为是认为外面的月亮总比自己城里的圆,抱着过分浪漫而不实际的想法,一次次地冲出围城,进入另一座围城。实际上,这种频繁变动婚姻的做法对己对人都有害而无益,是对社会结构的破坏。围城的本质决定了,无论你换了哪座城堡,它仍然还是一个围城,而不会变成别的东西。尽管主人变成新人,可是,新的终究会成为旧的,一般人是没有无尽的精力这样不断折腾下去的。

爱情不等于婚姻,婚姻不等于爱情

国人在潜意识里会有用婚姻"绑架"爱情的想法。这种做法随着时代进步会逐步被淘汰。

对于婚姻而言,只有爱是不够的,因爱过分浪漫飘渺而不切实际,那更像是冲动,是有节奏的脉冲,而不是持续的长波。所以说,爱情不等于婚姻。

婚姻也并不只包含爱情,婚姻持续时间越久,单纯的爱情的成分保存得越少,而代之以更多的是社会和家庭责任。正常人很难高频率地制造出爱的冲击波。在现代社会中,无爱的婚姻也是大量客观存在的。这就是婚姻不等于爱情。

对于婚姻生变的情况进行分析,最常见的有两种。一种是将婚姻等同于爱情,当发现爱情已衰变到自己无法容忍的地步时,认为婚姻也走到了尽头;另一种是不理解婚姻的围城本质,将爱情等同于婚姻,由爱情转移而导致婚姻解体,用另一场新的婚姻取代过去。这两类都常见于较

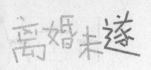
年轻的群体中。至于较大岁数的人因为历史原因而导致的婚变不在讨论之列。

　　家庭作为社会的基本因子和单元,构成了社会的基础,保持婚姻稳定对于社会稳定具有重要意义。了解爱情与婚姻的差别,建立正确的爱情与婚姻观念(当然,不是传统道德意义上的),对于保护自己免受感情伤害,以及家庭不受无谓的冲击,是有必要的。

　　对于一个生理和心理正常的人,从人道的角度看,不可能强求其一生只爱一个人,或者机械地、理想化地认为只应和所爱的人组成家庭,那是不人性和不现实的强迫做法,我们需要正视人性的这一弱点。但是,从履行社会责任的角度来讲,有责任和义务尽可能地维持婚姻与家庭的稳定。我们必须在迁就人性弱点与承担责任义务之间找到平衡点。对于婚姻和爱情作出合理的区分和解释,有助于人们以更加包容、平和的心态面对实际上并不总如想象中那般美好的现实生活。

　　(注:本文引自http://www.chinavalue.net/charlielzheng/Home.aspx)